一番いい答え

絶対後悔しない
最適解の見つけ方

太田龍樹

WANI BOOKS

はじめに

〝ばくぜんとした考え〟がその悩みを解決する「一番いい答え」に変わる

まさに今、あなたが直面している悩みを思い浮かべてみてほしい。

人間関係、仕事、お金、健康、未来……。人の人生には、問題、課題、難所が待ち受けている。

悩みと対峙《たいじ》したとき、あなたは〝一番いい答え〟を出すために、どのようなアプローチをしているだろうか。

問題解決の際、人の態度・姿勢はさまざまだ。

多くの人が、「勘や直観に頼って答えを出す」「今までの経験に基づいて判断する」「何も考えずに、その場しのぎの適当な答えを出す」ということをやってしまっている。

情報すら仕入れずに、決断してしまうこともよくある。これで、〝一番いい答え〟を導き出せるのか。私は絶対にそう思わない。これらの問題解決アプローチはやめよう。

筋の良い答えを出せるシンプルな技があるからだ。

▲

▽当てはめるだけでいい！　イギリスの哲学者・教育者が考え出したシンプルな考え方

〝一番いい答え〟を出すには、明確なメカニズムが存在する。それは、「トゥールミンモデル」にしたがって、あなたに合った〝一番いい答え〟を出す方法である。

「トゥールミンモデル」というシンプルな思考の型を使えば、あなたが抱える悩みに対する〝現状の中での最良の答え〟が見つかる。

トゥールミンモデルは、イギリスの哲学者で教育者のスティーヴン・トゥールミンが考え出した思考の型だ。

この思考法は、とてもシンプルだ。そして、誰でもすぐに使えるのに、多くの人が知らない。本書で詳しく説明していくが、わかりやすく言うと公式はこうだ。

最適解＝「あなたの意見」＋「根拠となる事実」＋「意見と事実をつなぐ理由」

この公式に、あなたの頭の中の考え、あなたが持つ情報を当てはめるだけで、限りなく正解に近い答えが見つかる。

誰もが直面する悩みに対して、「なんとなくこうしよう」と考える。

この「なんとなく」の〝ばくぜんとした考え〟を論理でまとめ、一番いい答えにするのが、トゥールミンモデルだ。

▲

ただ当てはめていくだけなので、難しいことはない。安心してほしい。

▽「メリットがある、論理的な答え」が見つかるトゥールミンモデルとは？

一番いい答えとは、「最適解」のことである。大人、社会人の世界には、学生時代のテストのように「〇か×か」というわかりやすい答えがない。

そこで、より〝メリットがあり〟〝論理的である〟答えを見つけ出すしかない。決断に後悔しないためには、**現実的で最も効果のある答え**を導き出す必要がある。

では、その「最適解」を出すための方法を、なぜ私が書いているのか。

それは、ディベートという代物が、「トゥールミンモデル」そのものだからである。もっとわかりやすく言うと、ディベートでやり取りする議論は「トゥールミンモデル」に基づいてつくらねばならないからだ。

ディベートとは、あるテーマに関して異なる意見を持った人たちが、見ている観客を説得するように議論する競技だ。

私は論理競技であるディベートの選手（ディベーターと呼ぶ）として、大会やテレビでディベートの試合を繰り広げてきた。そのディベーター経験に基づき、ディベー

▲

トの指導者として17年間、大学生からビジネスパーソンまで、のべ1万人に教えてきた。

10冊以上の書籍を執筆して世に問い、テレビやインターネットでディベートの番組をつくる際、出演したり、企画をしてきた。

このように、31年にわたってディベートのさまざまなシーンを経験してきた。

そして、多くのディベーターと向かい合ってきて、こう感じている。

「ディベーターはスゴイ奴ら」だと。

▽7つのスゴイ力が身につき、自分に合った最良の答えが導き出される

ディベーターは、7つのスゴイ力を持っている。なぜなら、これらの力を伸ばすために日々訓練しているからだ。

1 情報を収集し、考えをまとめる力
2 重要な考え・言葉を選別する力
3 証拠資料を評価する力
4 論理構成を見抜く力
5 要点を押さえて、まとめて、話す力

一番いい答え

▲

6　**説得力のある話をする力**

7　**局面に適応できる瞬発力**

これら7つのスゴイ力をあなたにも身につけてもらうために、思考の型である「トゥールミンモデル」を軸に、理解・体感してもらおうというのが本書の意図である。

▽17年間のべ1万人への指導を基にわかりやすく解説！　短い時間で答えが出る！

ディベートには、さまざまなルールが存在する。その中でも「制限時間がある」というルールは私のお気に入りだが、あなたにもきっと役に立つ。というのは、時間がない社会人は、限られた時間で答えを見つける必要があるからだ。

「短い時間で、一番いい答え（最適解）」を導き出すのに、ディベートの技術を使わないのはもったいない。同時に、説明、プレゼン、議論、交渉の能力も高まる。

おもしろくて身近な事例、例題を使いながら、楽しくわかりやすく身につくように工夫した。実践と指導経験を活かし、誰もがすっと理解できるように書いた。

ぜひ、あなたが結論に至るまでの筋道のつくり方を、本書を通じて学んでもらいたい。

1ページ開くたびに、あなただけのための「一番いい答え」が見つかっていく。

本書の構成について

▶▶▶ 最適解を知る

プロローグでは、現実的に悩みを解決する「限りなく正解に近い答え」とは、一体なんなのかを解説している。つまり、「メリットがある、論理的な答え」を見つける思考の型「トゥールミンモデル」の全体像を説明している。

▶▶▶ “ばくぜんとした考え”を「論理でまとめる力」が高まる

第1章では、あなたの頭の中の考えを「見える化」する方法を紹介している。間違いのない「情報収集法」と「仮説のつくり方」が身につくことで、あいまいな考えを論理的にまとめられるようになる。

▶▶▶ トゥールミンモデルを使いこなせるようになる

第2章では、最適解を見つける思考の型「トゥールミンモデル」を使いこなすための手順を紹介した。トゥールミンモデルの基本３要素を頭に入れてもらう。

▶▶▶ より説得力のある最適解が見つかる

第3章では、トゥールミンモデルのひとつ上のテクニックを紹介した。応用テクニックの３要素を知ることで、より説得力のある最適解を見つけることができる。

▶▶▶ 思考にブレない軸が出来上がり、決断への迷いがなくなる

第4章では、あなたの考え方にブレない軸をつくる方法を述べた。具体的な考えと抽象的な考えを行き来することで、考えに一貫性を持つことができ、決断への迷いがなくなる。

▶▶▶ 情報に惑わされず、正確な情報のみが集まる

第5章では、正確な情報のみを収集するための方法を紹介した。最適解を見つけるためには、情報の真偽の判断が重要だ。筋の良い情報のみを選ぶ反論、質問テクニックが身につく。

▶▶▶ 他者に納得してもらう技術

第5章までは、論理力の部分を磨くが、第6章では、あなたの最適解を提案し、他者に納得してもらうための力を身につけてもらう。自分ひとりで解決できる悩みもあるかもしれないが、多くの場合、悩みには他者が関わっている。だからこそ、人間的魅力を高め、他者が受け入れやすい状況をつくらなければならない。

▶▶▶ 相手の感情に訴える力が伸びる

本書には、各章の最後にコラムをつけている。あなたの最適解を相手の感情へ訴えかけ、納得してもらう技術を紹介した。あなたの気持ち、情熱が相手に伝わらなければ、いくらいい最適解を持っていても意味がないからだ。

本書を読めば、最適解を見つけ、悩みを解決できる。さらに、あなたの意見を他者に納得してもらうこともできる。

一番いい答え　目次

はじめに……2
本書の構成について……7

プロローグ
Prologue

正解がない社会人の世界の「一番正しい答え」とは？

その悩みが解決！
「メリットがある、論理的な答え」が必ず見つかるトゥールミンモデル

・限りなく正解に近い答えとは？……16
・この〝型〟で出来ている「最適解」が悩みを解消！……19
・〝知っている〟を「使いこなす」へ……22
・【結論】「たんじろうは虫歯になる」――説得力のある説明を考えてみよう……23
・さあ、「メリットがある、論理的な答え」を見つけるトレーニングをしよう……25

column《コラム》【論理に感情を乗せる伝え方❶声】……27

第1章

〝ばくぜんとした考え〟が「最適解に変わる」ちょっとした下準備

自分の頭の中を〝見える化〟する「情報収集法」&「仮説のつくり方」

・ちょっと下準備するだけで結果は大違い！……32
・「なんとなく」の考えを論理でまとめる3ステップ……33
・ディベーターの情報収集法「超入門」……35
・悩むことは〝この3種類〟のテーマに限定していい……38
・功罪表で2方向から「答えの弱さ」をなくす……42
・あなたは賛否のどっち？——頭がよくなるトゥールミン・リハ……45
・百戦無敵の人になるトゥールミン・リハ2つの手順……48
・手順1でやるべき情報収集の内容……50
・そもそも情報収集とは何なのか？……53

・情報の理解を深める「ワード検索」と「本の使い方」……55
・手順2でやるべき仮説「作成法」と「検証法」……58
・より現実的な仮説をつくる3つのチェックリスト……59
column《コラム》【論理に感情を乗せる伝え方❷発声】……65

第2章

あなたに合った「最良の答え」の見つけ方

トゥールミンモデルのシンプルな手順を行ない、とことん使いこなそう！

・「この答えは最高！」→必ず証明する……70
・上質なデータを構築する3つのコツ……73
・「証拠」と「あなたの答え」をつなぐ〝隠れた理由〟を探すには？……74
・このツッコミに耐える証拠は信用できる！……80
・ダマされないためにパターンを知る……85
・データを見極める**テクニック1**「思考を思いっきり振る」……91

・データを見極める**テクニック2**「裏を突く方程式」……95
・比較思考で質の高いデータを選ぶ……97
・ちょっと小休憩……103
・好き嫌いは後！　まずは、情報をそのまま読み取ろう……106
・情報が「何を言おうとしているのか」を探す**例題①**談志師匠の言葉……108
・情報が「何を言おうとしているのか」を探す**例題②**7年後、文句を言うべきか？……117
・情報が「何を言おうとしているのか」を探す**例題③**コロナの仮説……125
column《コラム》【論理に感情を乗せる伝え方❸目線】……137

第3章

〝より説得力のある最適解〟が見つかる3つのテクニック

あなたを論理競技者レベルに
成長させる上級技

・より完ぺきな最適解を見つける3つの上級テクニック……142

・「もし、〇〇でなければ」とチェックしてみよう！……146
・「〇〇は当てはまらない」という例外の明確化……147
・判断に迷いがなくなるキャストライトアップ思考法……154
・答えの精度を１００％に近づける「説得力数値化」の技術……157
・最上級の根拠が見つかるバッキングとは？……161
column《コラム》【論理に感情を乗せる伝え方❹アイコネクトトレーニング】……163

第4章

“具体と抽象を行き来する”スイング思考で頭がいい選択をする

自分独自の哲学が、
さらに「最適解の信頼性」を高める

・頭がいい人のスイング思考とは？——「具体」と「抽象」を行ったり来たりする……168
・ロジカル・ツリーで“悩みを分解”して解決策を見つける……172
・下から上が「帰納《きのう》」、上から下が「演繹《えんえき》」……177

・一貫性と基本スタンスが「あなたの答え」を支える……181
・哲学をつくるシンプルな3手順……184
column《コラム》【論理に感情を乗せる伝え方❺手の動き】……187

第5章

情報にダマされない！「最上級の決断」を追究する質問法

一見〝正しそうな詭弁《きべん》〟を見破り、正確な情報のみで「あなたの意見を強める」

・この質問で自分の答えの〝弱い部分〟がなくなる……190
・効果的な質問は決まっている！……192
・「完全にか？」「部分的にか？」、視点を切り替える大切さ……194
・最強の反論技「ターンアラウンド」……199
・詭弁を見破るために3つの大きな詭弁を知る……201

column《コラム》【論理に感情を乗せる伝え方❻ 3つのポイントを押さえよう】……216

第6章

相手を説得するために、どうしても必要なこと

「あなたが言うなら間違いない」と受け入れてもらうために

・アリストテレスの偉大な教え……222
・説得力・交渉力を高めるには？……224
・相手にシンクロして感情を乗り越える……226
・人間的魅力を身につけるための一番の近道……229
・あなたには「相手の情動に訴える」力がある……231
・人間的魅力がたったひとつでもある人は強い……234

プロローグ
Prologue

正解がない社会人の世界の「一番正しい答え」とは？

その悩みが解決！「メリットがある、論理的な答え」が必ず見つかるトゥールミンモデル

▲

限りなく正解に近い答えとは？

この本のテーマは、ズバリ「どうすれば、〝自分が直面している悩み〟の〝最適解を見つけられる〟か」である。

最適解とは、「現状の中で最も適した、理想的な答え」のことだ。

自分が考えていることを、「唯一無二の正解」にするためにはどうすればいいのか、という疑問を抱く人は多い。

まず、前提として知ってもらいたいのは、世の中は、とりわけビジネスの世界では、学生時代のテストのように「○か×か」といった、二者択一のわかりやすい答えは皆無であるということだ。

ＴＰＯ（時間、場所、機会）によって答えは変わるし、あなたの悩みに関係する相手の性格・気質・特徴の違いから、万人に通用する一定の答えは存在しない。

だからこそ、より良い「最適解」を模索しなければならない。

▲

では、「最適解」に至るために、何をしなければならないのか。

重要なことは、「自分の考えが論理的」であり、「自分や相手が受け入れられる」、言い換えれば「メリットがある」答えでなければならない、ということだ。

もう少し詳しく書くと、あなたの思考が、客観的に見て「物事の筋道に沿ってわかりやすいもの」である必要がある。

そして、その内容が自分や相手にとって、得であったり、都合が良かったり、納得感があったりする内容でなければならない。

▽当てはめるだけで〝なんとなく〟が「最適な答え」に変わる

あなたの「なんとなく」「あいまい」な考えを明確にし、「最適解」を見つけるために必要な、必殺の道具、それが「トゥールミンモデル」である。

先にも少し触れたが、トゥールミンモデルは基本的に、「クレイム」＋「データ」＋「ワラント」で成り立っている。

これらを結んだ三角ロジックは、イギリス・ロンドン出身の哲学者・教育者であるスティーヴン・トゥールミンが議論の分析のために考案したモデルだ。

なぜ、「トゥールミンモデル」で、あなたの考えがクリアになるのか。

それは、「トゥールミンモデル」自体が、思考を明確化するためのシステムそのものだからだ。

そのシステムは、大まかに3つの要素で出来上がっている。


「クレイム（主張・結論）」

「データ（事実）」

「ワラント（論拠）」


である。

これら3つの中に、自分の持つ「考え」や「材料」を当てはめることで、自動的にあなたの考えは明確になり、論理的になる。

このダイナミズムを体感してもらうのが、本書の役割である。

▲

この〝型〟で出来ている「最適解」が悩みを解消！

▽クレイムとは？

クレイムとは、自分が論証したい内容のことである。「あなたが主張したいこと」の内容であったり、「あなたの結論」だ。

▽データとは？

データ（事実）とは、クレイム（主張・結論）を導くために提示する証拠のこと。主張、結論の**正当性を裏付けする事実**のことだ。

▽ワラントとは？

ワラントとは、日本語では論拠と言い、その字のごとく「**議論の拠《よ》り所**」のことである。ほかの表現を使えば、クレイム（主張・結論）とデータ（事実）を**結びつける理由**

一番いい答え

▲

のことで、２つを橋渡しするものである。つまり、あるデータ（事実）から、クレイム（主張・結論）を導くためのテコの役割をする。

クレイム（主張・結論）に対し、「なぜ、そう言えるのか？」を説明するもので、〝**隠れた理由**〟と表現するとわかりやすい。

クレイム（主張・結論）とは、データ（事実）とワラント（論拠）で支えられた論理的プロセス（このプロセスを推論という）のことである。正しいと推定される答えだ。

データ（事実）はもちろん、ワラン

最適解は３要素！

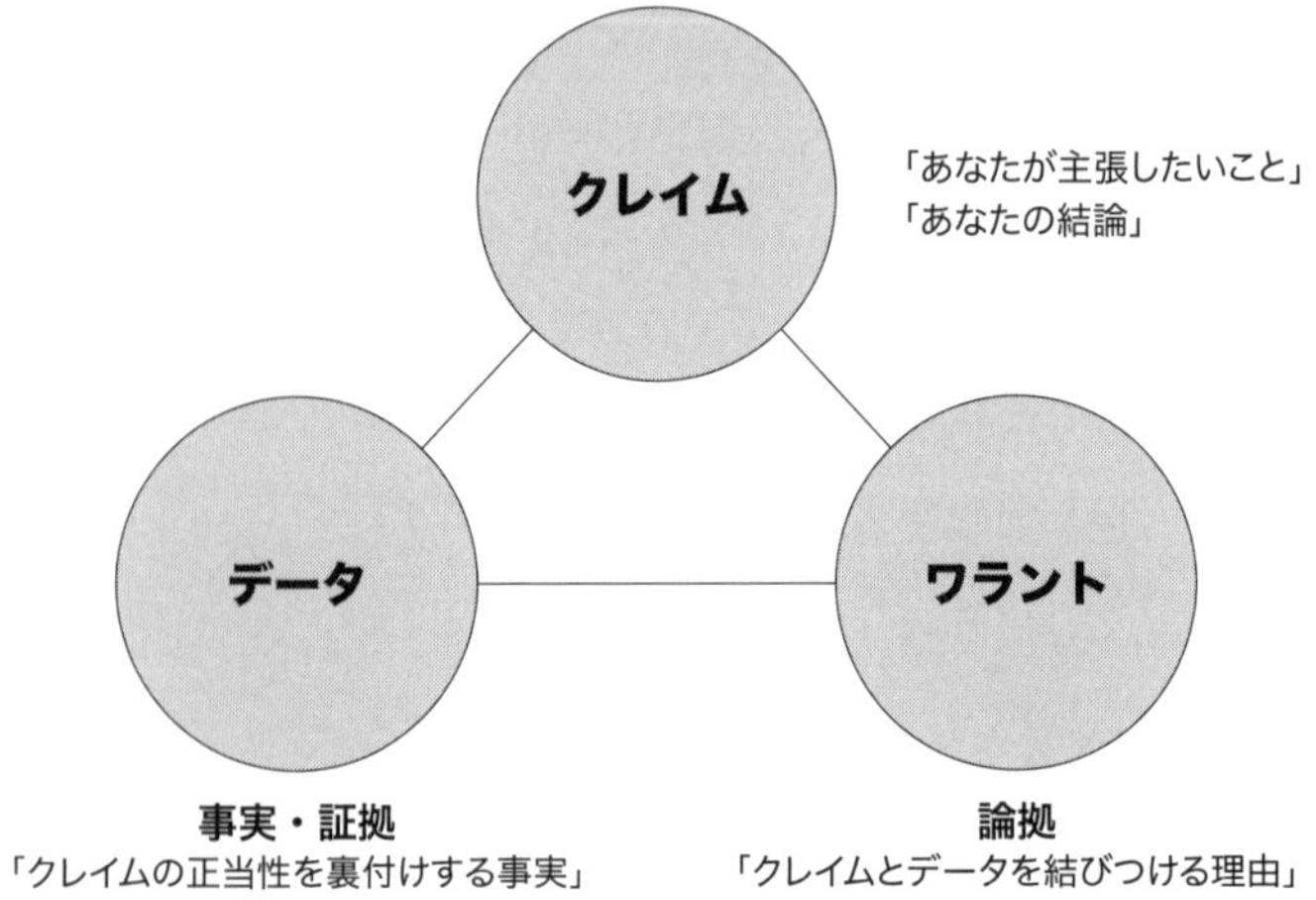

ト（論拠）が欠けてしまうと、そのクレイムは成立しない。主張や結論は意味のないものになってしまう。

▲

つまり、**事実と論拠を使って、「悩みや問題を解決する答え」の見当をつけるための**テクニックがトゥールミンモデルなのだ。

そして、この方法なら、その答えの精度を極限まで高めることができる。確実な正解がこの世にはないので、この方法で答えを出すことがベストであり、これ以上の答えはない。

トゥールミンモデルに「あなたの考え」と「持っている情報」を当てはめて初めて、あなたの答えはようやく有効になり、最適解となる。

他者が関係する問題や悩みに関して言えば、トゥールミンモデルの型に当てはめることで、あなたの主張は明確で、わかりやすく、説得力あるものに仕上がり、相手に受け入れられるようになるのだ。

▲

〝知っている〟を「使いこなす」へ

本書は、この「トゥールミンモデル」をあなたに完全にマスターしてもらい、使い手になってもらうことを目的としている。

そのために、わかりやすい例を出し、自然に理解してもらうことを目指した。その例は、日常よく使われる題材であるので、ぜひ読み進めてほしい。

トゥールミンモデルを、「知っている」と「使いこなす」では、大違い。「使いこなす」ためには、しっかり理解することが大切だ。理解すれば、駆使することができる。

とは言え、いきなり「トゥールミンモデル」「クレイム」「データ」「ワラント」と言われても、なかなかイメージしづらいかもしれない。

そこで、次の例を見ながら、トゥールミンモデルの大枠のイメージをつかんでもらいたい。

▲

【結論】「たんじろうは虫歯になる」――説得力のある説明を考えてみよう

●例1●
クレイム（主張・結論）：たんじろうは、虫歯になるだろう。

データ（事実）：たんじろうは、食後に必ず甘いものを食べているから。


こういう場合に大事になるのは、まず言葉の定義になる。虫歯とはなんなのか。

ＮＨＫ健康チャンネルによると、

「虫歯は、プラーク（歯垢《しこう》）の中にいる虫歯菌が、酸を出し、歯を溶かすことで起きる病気です。虫歯菌は、歯を溶かす酸をつくる力の強い菌や弱い菌がいて、力の強い菌が多ければ虫歯になりやすくなります」

と述べられている。

▲

たんじろうの妹・ねづこは、甘いものが大好きで食後にデザートなどを食べてしまうお兄さんについて、「虫歯になるだろう」と思っている。

では、このクレイムとデータとの間に隠れている「隠れた理由＝ワラント」はなんだろう。


ワラント（論拠）：虫歯になるのは、虫歯菌が糖分をエサにするため、虫歯菌の増《ぞう》殖《しょく》をまねくから。


このように、「クレイム（主張・結論）」「データ（事実）」「ワラント（論拠）」が結ばれた三角ロジックが「トゥールミンモデル」だ。

トゥールミンのロジックをマスターすれば、**あなたの答えは明確で、説得力のあるものになる。**

さらに、表に現れていないワラント（論拠）を浮き彫りにすることができれば、あなたの**反論力もアップ**する。

▲

さあ、「メリットがある、論理的な答え」を見つけるトレーニングをしよう

しかし、必ずしもこれが正解ではないのが世の常である。たとえば、このようなワラント（論拠）があったらどう考えればいいのだろうか。

ワラント（論拠）：虫歯になるのは口の中が乾き、殺菌作用のある唾液《だえき》が不足しているから。

この別のワラントを用いれば、必ずしも、「虫歯になるだろう」というクレイムは言えなくなる。つまり、**主張や結論は、現状のあなたが持つ情報や、あなたが置かれている状況によって変わってくるのだ。**

世の中には、○か×かという正解がないと冒頭で話したが、現状の中でいかにメリットがあり、論理的な答えを見つけ出すか、が大人の世界では最重要である。

あなたが対峙《たいじ》するあらゆる問題、悩みは、トゥールミンモデルで解決することが可能だ。

というより、後悔しないためには、トゥールミンモデルを使い、現状の中で最も理想的で、正しい答えを見つけるしかない。

最適解は、メリットがあり、論理的な答えだ。

「クレイム（主張・結論）」「データ（事実）」「ワラント（論拠）」がつながり、成り立つ答えを出すことで、最も正しい答えに近づける。

それでは、これから、トゥールミンモデルの達人になってもらうためのトレーニングを開始しよう。

難しいことはない。安心して読み進めてほしい。

▲

column《コラム》【論理に感情を乗せる伝え方❶声】

本書では、トゥールミンモデルを使って最適解を見つけ出す方法を紹介している。しかし、その最適解は、多くの場合、他者に伝えることになる。

なぜなら、あなたが抱える問題や悩みには、他者が関わっていることが多いからだ。

そこで、自分がそのトゥールミンモデルを話す相手をイメージしながらシミュレーションする方法も紹介する。

大事なのは、トゥールミンモデルから導き出した最適解が、「あなたが話す相手なり、議論している相手なりに通用するか」ということである。

相手を明確に意識せずに、言い換えれば、その相手に合った言い方・話し方・話のスピードで話を進めなければ、せっかく最適解を見つけても水の泡となる。

あなたが話す相手を見極めたら、あとはその相手に理解してもらうことだけに集中して、自信を持って話せばいい。

ところで、自信を持って話すとはどういうことなのか。自信とは「自分の正しさを信じて疑わない心」（広辞苑より）のことだ。

そこで、相手が実際にいると思って、自分が話す姿をリハーサルする必要がある。この工程をすることで、実際の現場であわてずに、自信があるように見える。この点が振られているところが大事で、これから話すポイントを実行すれば、仮にあなたに自信がなくても、自信があるように見えるのだ。

自信があるように見えるためには、体の使い方が大事である。

◆語尾と自信の関係

むやみやたらに声が大きすぎるのも良くないが、かといって、小さすぎることも問題である。

話の語尾が小さく聞こえづらかったり、何を言っているのかモニョモニョしていると、間違いなく相手にとっては「この人、自信がない」と受け取られる。

そもそも、声の大きさは、その人の自信と比例している。ある研究によれば、大きな声で話すほうが、小声でヒソヒソ話すよりも説得力があると明らかにされている。

したがって、語尾をはっきり言い切ることで、自信があるように見えるということだ。

たったこれだけである。

語尾をはっきり言い切ることの効用は、ビジネス以外の世界でもよく語られている。歌舞伎《かぶき》・落語・文楽・能など、日本の伝統芸能で芸に関する秘訣《ひけつ》や苦心などの話を、「芸談」という。

二代目松本白鸚《はくおう》（九代目松本幸四郎）は、２０２０年「十月大歌舞伎」の第二部「双蝶々曲輪日記《ふたつちょうちょうくるわにっき》 角力場《すもうば》」で主人公である濡髪長五郎《ぬれがみちょうごろう》を勤めた。その際、松竹歌舞伎会の会報誌である『ほうおう』（２０２０年11月号）に以下のような芸談を披露してくれている。（ ）内は私が補っている。

「引窓《ひきまど》」（双蝶々曲輪日記にある、有名な場面）の南与兵衛《みなみよへい》を初演した際には女流義太夫の名手、豊竹小仙の指導を受けた。

「暑い日に大阪まで出かけました。七十歳過ぎで白髪頭《しらがあたま》をくるくるっとまとめて自分で義太夫の太棹《ふとざお》を持って一段語ってくださる。

同じような経験を、ブロードウェイでの『ラ・マンチャの男』を演じる前にアリス・ヘルメスさんに英語の台詞《せりふ》を教えていただいた時にしました。やはり髪をくるくるっと結わえたおばあさんで、テープレコーダーを前に台本を挟んで稽古《けいこ》をしました。

どちらも語尾を押さないとお客様には聞こえないとおっしゃいました。飛び交う言葉が英語か日本語かの違いだけで、内容は一緒だと感じました」

このような芸談には、表現や話し方のヒントがたくさん詰まっている。というのも、演者がお客様の前で表現している話し方や身振り手振りにこそ、お客様に伝わる、いやそれ以上に感動してもらえるよう、演者は苦心・努力されているからだ。

歌舞伎や落語など、観客を前にした生きたやり取りをしている人々の芸談を利用しない手はないのだ。

本書では、各章の最後にコラムを書いている。コラムでは、あなたが自信を持って話すためのコツを解説している。ぜひ、実践してみてほしい。

第1章

〝ばくぜんとした考え〟が「最適解に変わる」ちょっとした下準備

自分の頭の中を〝見える化〟する「情報収集法」＆「仮説のつくり方」

▲

ちょっと下準備するだけで結果は大違い！

あなたにとっての最適解であるトゥールミンモデルをつくり上げるためには、下準備が当然のことながら必要だ。

自分の選択に後悔しない人、失敗しない人ほど、この下準備を欠かさない。

「あの人はなんでもうまくやるな」という人は、行き当たりばったりで結論・答えを出し、選択しているように見えても、実は間違いなく下準備を行なっている。

量は質に転化する。

量を積み重ねると、質が変わる。トゥールミンモデルをつくる正しい練習を多くこなすことが、成果につながるのだ。

私が指導しているディベートという討論の技術のやり取りは、トゥールミンモデルの応酬《おうしゅう》である。自分自身の実践経験と指導経験から、量は質に転化すると体感している。

では、正しい練習とはなんなのか。それは、柔道、空手、剣道などの武道と同じく、型を繰り返すことだ。

トゥールミンモデルの型に、何度も自分の考えを当てはめて実践することなのだと理解してほしい。

「なんとなく」の考えを、論理でまとめる3ステップ

あなたが対峙《たいじ》している、問題、悩みを思い浮かべてほしい。

「なんとなく、こんなことを考えているんだけどな」といった、あいまいな答えを持っているはずだ。

では、そのあいまいな考えを明確にするためにはどうすればいいのか。

それには、3つのステップがあるので、実践してみてほしい。

▽ステップ①　自分の「言いたいこと」「結論」を40文字で箇条書きにする

自分の主張や結論（クレイム）を、40文字程度で表現してみよう。この本の1行の

一番いい答え

▲

文字数程度にまとめてみよう。本書の1行の文字数は38文字になっている。

▽ステップ② 「主張・結論に至った理由」を考えてみる

自分の言いたいこと、結論に至った理由、つまりデータとなる事柄を考えてみる。できれば2つ以上の理由を出してほしい。多様性が増すからだ。

▽ステップ③ 隠れた理由をあぶり出す

主張や結論とデータを結ぶ、「懸《か》け橋となるような隠れた理由（ワラント）」を浮き彫りにする。

この工程を行なうだけで「なんとなく、こんなことを考えているんだけど」といったあいまいな思考が、明確になり、かつ論理的になる。

一度このステップを踏んでみてほしい。案外楽に実践できることがわかる。

▲

ディベーターの情報収集法「超入門」

インプットなくして、アウトプットなし。

言いたいことや結論（クレイム）が漠然《ばくぜん》としている。その理由が考え出せないという人は、問題や悩みに関わる周辺知識や、言葉が不足しているのである。

知識がなかったり、言葉がわからなければ、自分の答えを具体的にできるはずがない。幼い子どもを見ればわかるように、知識や言葉がないから、物事の構造やメカニズムがわからないのだ。

だから、**最適解を見つけるには、情報収集が欠かせない。**

ここでは、私たちディベーターが実践している情報収集法があなたにも役立つ。ディベートは論理競技なので、同じレベルでやってほしいとは言わないが、役に立つので理想のやり方を伝授する。自分のできる範囲で試してみてほしい。

一番いい答え

▲

▽実際に話を聞き、一次情報を仕入れる

たとえば、虫歯についての悩みを抱えている場合、最初に、かかりつけの歯科医師にインタビューしてみる。

リアルに、それも専門家から話が聞ければ、非常に貴重な情報が手に入る。

▽説得力のある検索術

次に、検索エンジンを使って、「虫歯」というキーワードからもたらされる検索結果をせめて30位まで、1ページあたり10件であれば、3ページ分スクロールしながら情報を収集する。

その際、公的機関（厚生労働省や日本歯科医師会など）のサイトもしっかり読み込む。公的機関のデータを利用できればより説得力が増すものである。

なぜ、公的機関のデータに説得力があるのかといえば、調査サンプル数（母集団、分母）が大きいからだ。

▽書籍からの情報

最後に、虫歯に関する書籍をアマゾンやグーグル、図書館の検索サイトで探してみる。そして、実際に本から情報を得る。

▲

専門家から直接話を聞くことは難しいとしても、アマゾンとグーグルを使うだけで、あなたの言いたいこと、最適解をつくるための事前準備はおおかた完了する。あとは、そこで得た知識や言葉を、トゥールミンモデルに当てはめればいいのだ。

トゥールミンモデルを使う初心者であるあなたは、こんなレベルのことはできないと思ったかもしれない。しかし、慣れてくれば、このくらいのことは簡単にできるようになるから心配しないでほしい。あなたは、量を質に転化する、を体現するのだ。

初めのうちは、

- 専門家から話を聞く努力をする
- 検索エンジンでキーワードを入力し、１ページ目の情報を収集する

・キーワードに関連する気になった書籍を読んでみる

これができれば上出来だ。まずは、やってみること。そして、訓練を継続することに価値がある。

慣れてくれば、ディベーターと同様の手順を踏むことができる。私も初めは、新米ディベーターで右も左もわからなかった。あなたにできないことはない。

そもそもなんの情報も得ずに、答えを導き出している人がとても多い。結果、当然のごとく選択を誤る。だからこそ、少しでも情報を得ることに意識を向けてほしい。情報を使わず答えを出す、ということは、勘で答えを出す、のと同じことである。

▲

悩むことは
〝この3種類〟のテーマに限定していい

人が抱える問題や悩みのテーマは大きく3種類ある。

1　事実論題

2　価値論題
3　政策論題
ひとつずつ紹介する。

▽1　事実論題――「あり得るのではないか」を考える

事実論題とは、論理的に考えてあり得るのではないか（あり得たのではないか）と推定するものを論題にすることである。

ということは、トゥールミンモデルに当てはめれば、まさにクレイムに当たるのが、この事実論題である。

たとえば、先の例で挙げた「たんじろうは虫歯になる」は事実論題に該当する。それが論理的に考えてあり得るのか否かを、トゥールミンモデルを使って推定するからである。

他の例で言えば、「サッカーの岡田武史元日本代表監督は偉大な監督であった」とか「小学校でのディベートは教育効果がない」というものだ。

ちなみに、3の政策論題がマクロ的テーマであるなら、この事実論題はミクロ的テーマと言える。

政策論題が総論のやり取りをしているのであれば、事実論題は各論のやり取りであると言える。

あなたの言いたいことを明確にしていくうえで、まず初めに取りかかるべき論題である。

▲

▽2 価値論題――「比較」を考える

価値論題とは、ある価値と、他の異なる価値とを対比させ、比較する論題である。

「人は見かけか、内面（心）か？」といった悩みは、人それぞれの判断基準（価値観）をあらわにさせる興味深いテーマだ。

このようなテーマをひもとくのに、トゥールミンモデルは欠かせない。

▽3 政策論題――「するべきか否か」を考える

政策論題とは、現状の政策や制度の変革についてのプランをめぐって、改革推進派（肯定側）と現状維持派（否定側）が議論を戦わせる論題である。

▲

政策論題は、「日本は憲法改正をすべきである」「日本は首相公選制にすべきである」といったようなテーマはもちろんのこと、日常生活における判断にも応用できる。

たとえば、

「わが社は、週3日テレワークにすべきである」

「私たちの部では、会議にディベートの手法を導入すべきである」

「わが家では、週に4回外食とすべきである」

……など。

これは、「2の価値論題」と同様、解決策をトゥールミンモデルでつくることができる。

このように、私たちが仕事や日常生活で抱える問題や悩みのテーマは、「1 事実論題」「2 価値論題」「3 政策論題」の3分類で整理できる。

功罪表で2方向から「答えの弱さ」をなくす

ディベートの優れたところは、肯定・否定、両サイドの立場で事前準備しなければならない、ということだ。

言い換えれば、賛成も反対も、最初に自分の感覚で決めずに、まずは徹底的にリサーチする必要がある。

というのも、ディベートの試合では肯定側・否定側のサイド決定は、本番の試合直前にくじ引きで決めるのが一般的だからだ。どちらか一方でない所がみそである。

両サイドを見るから、両論を見るから、**それぞれの意見の長所・短所が俯瞰的《ふかんてき》に見える。**

また、「相手から攻撃されるだろうな」「主張が弱いだろうな」という箇所も浮き彫りになる。

つまり、両論を知れば、あなたの答えはより強くなるのだ。

▲

アメリカ建国の父で、１００ドル札にも描かれているベンジャミン・フランクリンは「功罪表」を提唱した。

これは、ある事柄や政策に関して、ＰＲＯ《プロ》（賛成・メリット）とＣＯＮ《コン》（反対・デメリット）の２つに分けて、それぞれの理由を見比べていくものだ。

この方法の最大のメリットは、悩みのテーマを必ず両面から見ることである。つまり、あることをやるべきか、否か、と悩んだ場合、両方の立場になって考えてみることに価値がある。

１　日本の学校は、９月入学にすべきか否か？
２　わが社は、本社を東京から地方に移転すべきか否か？
３　私は、マイホームを買うべきか否か？

１のような政策だけでなく、２のようなビジネス上の課題、３のようなプライベートの問題でさえも、「功罪表」の考え方に従って、メリット・デメリットの両面をあぶり出すことができる。

▲

日々直面している悩みを両面から見ることで、**考え方が独善的になるのを回避できるのだ。**

また、自分とは反対の考えをあらかじめ考えておくことで、考え方や価値観の違う相手や物事を理解できるようにもなる。

私たちが抱える問題は、多くの場合、他者が関わっている。

このように、功罪表の考え方は２方向から見る思考法である。

これをうまく活用すれば、多角的な考え方ができ、より良い答えを導き出すことができるようになるのだ。

マイホームを購入する場合

メリット	デメリット
・資産になる	・住み替えが難しくなる
・老後の住まいの心配の軽減	・維持費を負担しなければならない
・ローンが終わった後は、住居費がかからない	・収入が下がるとローンがリスクになる
……	……

▲

あなたは賛否のどっち？
――頭がよくなるトゥールミン・リハ

何度も言うが、トゥールミンモデルを機能させるために、最も重要なポイントは事前準備である。

そのためには、「トゥールミンモデルをつくる事前準備」を意味する「トゥールミン・リハ（リハーサル）」を実践することをすすめたい。

このリハーサルをやることで、**頭が整理される**。手順を紹介するので、実践して、やり方と効果を理解してほしい。

自分の内側にある考えがあいまいな人ほど、このリハーサルの作業をしていなかったり、おろそかにしているものだ。

独りよがりであったり、ものをよく考えないのでは、自分の意見を明確にすることなどできない。

そのために、「トゥールミン・リハ」を知り、練習してもらいたい。

▲

「トゥールミン・リハ」は、トゥールミンモデルを形作るための事前準備であり、チェックリストの役割もある。

あなたが日常で考えなければならないテーマは多岐《たき》にわたる。

身近なことで言えば、

・今住んでいる所から、引っ越すべきか？
・進学するのは、公立がいいか、私立がいいか？
・彼（彼女）とつき合う（結婚する）べきか？
・就職（転職）すべきは、A社かB社かC社か？
・持ち家にすべきか、賃貸住宅にすべきか？
・貯蓄をするなら、定期積立か株式投資か？

また、あなたが会社に勤めていたり、会社の社長だったりする場合には、

・わが社は社員を増やす（減らす）べきか？
・わが社の給与を上げるべきか否か？

▲

- わが社が業務提携すべきは、A社かB社か？
- 新規開拓の方法は、テレマーケティングか、それ以外か？

そして、国民として考えなければならない、または政治家としてテーマを実際に討議するテーマ、

- 日本は憲法改正すべきか否か？
- 日本は法人税を大幅に下げるべきか否か？

など、身近なことから仕事、天下国家に及ぶ政治・経済・文化それぞれの分野に至るまで、あなたが考え、最適解を見つけ出さなければならないテーマは山ほどある。

どんなテーマの解決策を考えても、そこにはメリットとデメリットがある。そのうえでこそ、最適解を見つけることが大切だ。

どんな人でも必ず立ち止まって考えねばならない、自分の家族、住環境、仕事、キャリアなどのテーマを、トゥールミンモデルを使って解決してもらいたい。

▲

百戦無敵の人になるトゥールミン・リハ2つの手順

トゥールミン・リハでは、2つの手順を踏む。


【手順1】情報収集する。

【手順2】仮説(自分の考えるトゥールミンモデル)を立てて、そのトゥールミンモデルを検証する。


手順2で、〝仮説〟と書いているのは、本番ではない、まだ事前段階だからだ。

ここでは「東京に住んでいるわが家は、地方に引っ越しすべきか否か?」というテーマを考えながら、この手順を踏んでみる。

コロナ禍が収まらない現状、リモートワークは大いに推進されている。同じく、働き方と連動して、住まいのあり方について考えている人が多くなっている。

▲

たとえば、このテーマをもとに、あなたの主張（クレイム）で自分の家族を説得する設定として考えてみよう。

「トゥールミン・リハ」をやる理由は、両方の意見を前もって理解したうえで、自分の意見を打ち出すことである。

物事に絶対はなく、今回のテーマでも「大いに引っ越すべきだ」という意見もあれば、「絶対に引っ越すべきではない」という意見もある。

重要なので繰り返すが、どんなにあなたが「引っ越すべきだ」と考えていても、反対の意見である「引っ越すべきではない」という考えがあるのだと強く理解しておいてほしい。

物事には多面性がある。

この鉄則を理解することが、手順1の大いなる目的である。

「彼《かれ》を知り己《おのれ》を知れば、百戦あやうからず」という孫子の言葉を、手順1の意味に置き換えると、「賛成と反対の実情を熟知していれば、百回戦っても負けることはないくらい、あなたの主張は強固になる」のだ。

自分の意見の反対意見の状況を知らないで、持論のための情報だけに詳しいのでは、弱いフワフワとした主張になってしまう。

反対意見も、持論もよくわかっていなければ、あなたの主張は通らない。

兵法の大家である孫子が言うように、両論のわかる人でなければならない理由がここにある。

手順1でやるべき情報収集の内容

では、手順の説明に入る。

手順1は情報収集だ。キレのある、明快な主張をしたければ、まずはじっくりと両論について情報収集しなければならない。

悩みのテーマに関するさまざまな情報を収集することで、答えを見つけるための引き出しが多くなる。その結果、その引き出しの多さによって、物事の見方が多角的になり、あなたの主張を深い意見に昇華させる。

深い意見・主張は説得力を持つ。あなたの主張に周りは理解を示してくれるし、う

▲

まくいけば納得してくれる。

今回のテーマは「東京に住んでいるわが家は、地方に引っ越しすべきか否か？」だから、次のような情報を集めよう。

- 仕事をする際のメリット・デメリットを、今いる東京と地方で考える
- 住環境の違いを、家賃や物価、近隣環境を尺度に、比較してみる
- 子どもがいる場合は、子どもが受けられる教育環境の特徴を列挙してみる

その際、ディベーターの情報収集法の部分で述べたように、東京と地方の違いが書かれた書籍をアマゾンや図書館の検索で探し出してみる。私たちのようなディベーターは、最低でも10冊。可能なら、20〜30冊の本を読む。

トゥールミンモデルを使う初心者であるあなたは、まずは異なる主張をしている2冊の本を読んでみてほしい。

また、東京と地方の違いを特集した新聞のバックナンバーを探してみることも有用

▲

だ。できる限り記事にあたってほしい。

私が問題を解決するときには、朝日新聞、読売新聞、毎日新聞、日本経済新聞や夕刊フジといった、すべてのデジタル版を使って、過去の記事を収集する。

東京の将来、地方の未来も念頭に置いておく必要がある。未来予測的な情報を仕入れることはもちろん、日本に住むのであれば、一極集中が今後どのような展開になるのかにも注視しなければならない。

引っ越しという身近なテーマでさえも、情報収集が必要であることを強く理解できると思う。

また、書籍や記事はもちろんのこと、自分の周りにいる移住経験者を探してみる。そのような人がいなければ、いろんな場所で移住者のための説明会を実施しているので聞きに行ってみてもいいだろう。

ライブに勝るものは、なかなかない。自分の足で探した情報はとても貴重だ。

直接専門家から話を聞くことは難しいかもしれないが、できる限りやってみてほしい。

▲

そもそも情報収集とは何なのか？

情報収集とは、言い換えると、以下のような作業である。

1　独善的な「思い」や「思い込み」ではなく、あるがままの事実だけを真摯《しんし》に見つめること。

2　一面ではなく多面、さまざまな観点から物事を見つめること。

私の場合は、テーマを見たら、まず今までの知識・経験を駆使して両方の側の肝《きも》である「本質」を考える。

「本質」とは、今回のテーマで言えば、「どうして地方に引っ越しすべきなのか？」、「どうして地方に引っ越しすべきではないのか？」という核となる理由を考えることである。

これが、トゥールミンモデルをつくる際にも大きな武器となる。

あなたにある程度、テーマに関する知識があれば、自分の考えに基づいて、賛成側や反対側といった両論のプロット（筋）を練ってみてほしい。

そのうえで、それが間違っていないかのチェック機能として、また、検証のため、事実の情報収集をしてほしい。

▲

ただ、この本を読んでいる人は、考えがまだ漠然《ばくぜん》としていることが多いと思う。

最適解を導く専門知識や背景がない場合、アイデアがわかないのは当然のことである。言葉がなければ、知識がなければ、考えやアイデアを整理することなど到底できない。

逆に言えば、専門知識や背景などの言葉や知識をわかっていれば、アイデアは生まれてくる。言葉をインプットさえすればいいだけだから「アイデアが生まれないのでは」という心配は無用だ。

インプットなくして、アウトプットなし。

考えが漠然としていることに悩むことはない。アイデアが生まれないことに落胆す

▲

ることはない。ただ、情報を仕入れればいいのだ。

情報の理解を深める「ワード検索」と「本の使い方」

話を元に戻す。テーマは「東京に住んでいるわが家は、地方に引っ越しすべきか否か？」だ。

そこで、「地方　移住」というキーワードの元、それにまつわる書籍を探し出してみる。新聞の記事検索をしてみる。グーグル検索をしてみれば、数多くの実情に触れることができる。

テーマに関わる入門書なら、時間が許す限り、自分が当たれるだけ本を読むべきだ。読めば、知識が上塗りされ、理解が増してくる。

たとえば、同じ著者が書いているものであれば、年々アップデートを加えているはずである。ゆえに、そのテーマに関する**情報の移り変わりをつかむことができる。**

また、入門書でも違う著者が書いた本を読めば、テーマによって**人それぞれの見解**

▲

の相違を見て取れる。それこそ、両論を考える情報収集にはもってこいである。

ここで私が書いている方法は、極意である。論理競技であるディベートを行なうプロの方法だ。多くの人は知らないし、やらないアプローチである。だからこそ、私は価値のある情報収集法だと考えている。

多くの人がやらない理由はいくつもある。たとえば、現代日本では、さまざまなテーマの書籍が世の中にあふれすぎて、何に当たったらよいかわからなかったり、探し出せずに途方に暮れてしまっていることが考えられる。忙しい、面倒くさいという理由もあるだろう。

それ以上に、本離れの世の中で、スマホの使用に時間を注ぐようになり、本そのものを読まない人が昔より断然増えていることも大きな理由であると考えられる。

確かに、私たちディベーターがやっているように、30冊ほどの本にアプローチしなければならないのは、人々の心理的ハードルを高めるかもしれない。

とは言っても、同じテーマの本であれば書いていることは似通っている。そのため、数冊の本を読むと、その後、読む本はかなり速く読めるものなのだ。

▲

読み進めて、内容に違いがあれば、違う文脈・意味・見解をズームアップする。

そこを浮き彫りにすることで、**意見の違いが理解され、そのテーマの本質＝「どうして、そう言えるのか？」という点に、一層たどりつけるようになる。**

25年前、私が学生の頃はディベートで勝つために大きな書店に行って、関連図書を探した。図書館に行って本を探すのはもちろんのこと、新聞の縮刷版で過去の記事に当たった。

しかし、私が学生時代に足で取りに行った情報は、今ではほぼすべてネットで収集できる。情報を取りに行くのにとても楽な時代なのだ。やらない手はない。

「急がば回れ」「ローマは1日にして成らず」、これらの格言が示すように、何もしなければあなたの思考力は一向に進化しない。情報を探す労力を惜しんだら、良いアイデア、最適解は生まれるわけがない。

情報を収集する量はあなた次第だが、量が少ないとしてもこの方法を愚直に淡々と実践することが、トゥールミンモデル上達のための近道なのである。

▲

手順2でやるべき仮説「作成法」と「検証法」

情報収集は、いわばエビデンス（証拠）集めである。それら一つひとつのブロック（エビデンス）を取捨選択しながら、建物（自分の主張）を建設しなければならない。

自分の主張を強めていくためには、仮説を用意する必要がある。

改めて、仮説とは何か？

たとえば、自分の主張をAとし、情報収集から出てきたエビデンスをBやCとしよう。Aという主張をするために、BやCがエビデンスになる、とあなたは考え、それらを用意した。

これは、「Aという結論から逆算して、BやCがエビデンスとなりうるのでは？」と仮説を立てたことになる。つまり、これが仮説である。

私はとてもこの作業が大事だと考えている。

それは、**Aという主張がどんなに破天荒で、一見実現不可能に思えたとしても、そ**

れを支えるデータがありさえすれば、説得力のある主張ができるようになるからだ。

ひいては、そのアイデアが現実となって、最適解となり、あなたの理想の状態をつくり出す。

「月に行く」「ウイルスは撲滅《ぼくめつ》できる」といった結論から仮説を立てることで、人類はここまで進化してきたのだ。

▲

さて、仮説の重要性がわかったところで、その仮説が主張するに値するかのチェックが必要になる。

その際、次の３点に照らして、仮説を客観的にチェックしてほしい。

より現実的な仮説をつくる３つのチェックリスト

①あなたの言いたい主張は何か？
②主張を支えるデータは何か？

③果たして、そのデータは本当にそう主張できるのか？

①と②はわかりやすいが、このチェックリストで説明を要するのは、とりわけ③である。たとえば、

A　わが社は東証マザーズに上場すべきである。

B　世の中に、わが社のようなサービスを提供している企業がないから。

詳しくは書けないが、この話は私の周りで実際にあった事実を基にしている。

あなたがこの会社の経営者もしくは経営幹部とする。上場することで、社会の公器になる。また、社員のストックオプション制度などの福利厚生の充実により、社員のモチベーション向上にもつながる。だから、上場したいという夢があったとしよう。

そのために、わが社が上場するための武器・切り札・特徴を、東証マザーズの上場基準に従って考える必要がある。

東証マザーズが求めている基準は、ズバリ成長性である。豊かな将来を見通せる成長ストーリーを示す必要がある。

▲

▲

だから、Ｂのような競争相手がいないという事実（データ）を打ち出した。
そこで、データ↓主張、が成立するか、２つのチェックを実行してみる。

▽「データに主張を生み出すだけの能力があるか」をチェック

これは、そのデータに主張という名の結果を生み出すことが可能であるのかを検証することである。この例に沿って考えてみる。

「世の中にないサービスを提供する企業」だから「東証マザーズに上場すべき」の図式を考えるにあたって、過去に同業他社がいない、独自のサービスで上場した会社をできるだけリストアップできれば、このデータが証拠足りうるかが検証できる。

また、万が一そのような独自の会社が過去あまりなかったとしよう。その場合、マザーズの基準である〝成長性〟にフォーカスすればいい。

そこで、説明が必要なのが③である。今までは、主張↓データという、いわば逆算の形で、仮説をつくった。

しかし、それだけでは、その仮説が仮説の域を出ない。より現実的な仮説にするためには、それに耐えうる論理展開を検証する必要がある。

▲

つまり、データ↓主張、これを導けるかどうかが重要になる。

この点をしっかりと考えてほしい。

▽「データは主張に対して必要かつ十分か」をチェック

このデータが主張に対する必要条件であっても、十分条件でないことがある。詳しく説明しよう。たとえば、

ゴルフの知識がなければ、生徒に教えることはできない。

では、ゴルフの知識があれば、必ずインストラクターになれるかといったら、そうは問屋が下ろさない。

インストラクターになるには、生徒を教えるための教則を学んだり、実際に実践経験がないとなれないからだ。


「インストラクターである」↓「ゴルフの知識がある」

とは言えるが、

▲

「ゴルフの知識がある」→「インストラクターである」

とは必ずしも言えないということである。

これは論理用語では、

「インストラクターであるには、ゴルフの知識は必要条件である」

となる。

ゴルフの知識・教則を学んでいること・ゴルフの実践経験があること、すべてを合わせて、インストラクターである十分条件という。


では、ここでの上場の例に沿って考えてみる。

「世の中にないサービスを提供する企業」を〝成長性がある企業〟と言い換えるとわかりやすい。

「マザーズに上場するには、成長企業であることは必要条件である。

では、マザーズに上場する十分条件は、と考えると、財務状況がよい、コンプライアンスが徹底している、社員に対する雇用環境が整っているなど、細かいが、しかし重要な条件を満たさねばならない」

ということは、単に成長企業という条件だけでは、上場するための完全な条件ではないことがわかる。

この「世の中にないサービスを提供する企業」だけで主張はもちろんできるのだが、十分条件にならず、説得力はやや弱いことがわかる。

これこそ、③果たして、そのデータは本当に主張できるのか？　というポイントの難所である。

▲

一番いい答え

仮説を3つの観点からチェックをすることで、筋の良い仮説は出来上がる。

トゥールミンモデルを実践して最適解を見つけ出すには、事前の下準備が必要である。それは、仮説をつくるための情報収集であったり、思考法を知ることだ。

しっかりと下準備を行なうことで、トゥールミンモデルを基とした最適解は見つけられる。ぜひ、この下準備を入念に行なってほしい。

column《コラム》【論理に感情を乗せる伝え方❷発声】

声の質や発声の仕方を「準言語」と呼ぶ。話している内容はもちろんのこと、声量、話すスピード・テンポ、声のメリハリ・高低・抑揚、言い淀《よど》み・ログセは、言葉そのものだということだ。

はっきり言い切るためには、声量を大きくする必要がある。逆に言えば、はっきり言い切れない人は、自信の問題もあるが、声量が小さいことが原因であることも、私の見てきた経験から感じている。

では、もともと声量が小さい人はどうすればよいのか。

そのためには、「肚《はら》」を意識することである。「肚」とは臍下丹田《せいかたんでん》という下腹部のへその下にある部分である。

ここを意識し、力を入れると、勇気と健康が得られると言われている。もっと場所をイメージするのであれば、温泉などに行ったときに着る浴衣の帯のポジションをイメージするとよいだろう。まさしく、帯は腰の部分、それは臍下丹田を包み込む感じで巻くものである。

肚を意識すると、必然的に腹式呼吸になる。腹式呼吸になるから、声量が大きくなるのだ。

喉《のど》や胸からではない、それこそ腹の底から声が出るので、軸ができて安定するようなもので、言葉に重みが出たり、言葉に勢いが生まれるきっかけとなる。

安定しているから、声がブレずにトーンも一定になる。さらに、肚を意識するため、あなたの姿勢に重心が生まれ、安定し、姿勢まで良くなる効果もある。姿勢が良いということ自体、自信があると見られる要素でもある。

具体的には、以下の3ステップを実践してトレーニングすることが効果的だ。

◆ステップ①

鼻から空気を3秒吸って、その空気をお腹に入れ、お腹全体を膨《ふく》らませる。お腹いっぱいに空気が満たされたら、その後ゆっくりと、倍の時間である6秒かけて口から空気を吐き出す。その際空気を吐き出しながら、あえてお腹をへこませる。

これが、腹式呼吸である。この腹式呼吸こそ、声量の調節弁である。

この一連の行動を3セット行なってみる。お腹を膨らませたり、へこませたりすることで、お腹に意識を向けることが重要だ。

その際、特に臍下丹田と呼ばれる、おへそから1~2㎝下辺りを意識することで、腹式呼吸を意識してしやすくなる。

この腹式呼吸を、普段の呼吸や歩いているときにも実践してみるとよい。こうすることで、日ごろから腹式呼吸を意識しやすくなるものだ。

◆ステップ②

ステップ①と同じプロセスで、鼻から空気を3秒吸った後、今度は6秒かけて「あー」と発しながら、空気を吐き出してみる。

腹式呼吸をしていれば、自然と「あー」という音がブレずに発声できるはずだ。空気に乗せて、声を出すイメージをつかんでみる。これも、3セット行なってみる。

ちなみに、3セットすることは、あくまで、自分のフィーリングに合わせ、自然と呼吸できるようになるための反復回数の最低限であると、私は考えている。

◆ステップ③

余裕がある人は、鼻から空気を3秒吸った後、発声練習をしてほしい。五十音順の「あ」から「ん」までを発声する。さらに余裕があれば、濁音、半濁音も発声してみてほしい。

これは、小学生の授業でも使われ、またアナウンサーや声優は何度もやっているトレーニングである。

ぜひ、試してみてほしい。説得力のある発声ができるようになる。

第2章

あなたに合った「最良の答え」の見つけ方

トゥールミンモデルのシンプルな手順を行ない、
とことん使いこなそう！

▲

「この答えは最高！」↓必ず証明する

ここからは、より具体的にマスターしてもらうため、トゥールミンモデル自体を分解してわかりやすく解説していく。

先に紹介した、トゥールミン・リハの手順2を振り返ってもらいたい。

【手順2】仮説を立てて、そのトゥールミンモデルを検証する

この手順2を、より精密に構築できるようになることを本章の主眼とする。

トゥールミンモデルをつくるうえで、まず考えねばならないのは、**クレイム（主張・結論）とデータ（理由）の基本形をしっかり押さえること**である。

私が30年以上にわたって研究してきたディベートには、いくつかのルールが存在する。

そのルールの中でとりわけ重要なのが「主張することは必ず証明すべし」である。

「証明」とは、広辞苑で調べると、「ある事柄が事実または真理であることを、理由や根拠に基づいて証拠立てること」とある（以降、言葉の意味は、辞書や辞典の名前を出さない場合、広辞苑を基に紹介している）。

〝理由や根拠〟があって、〝事実または真理である〟ということは、トゥールミンモデルに即して言えば、「データ→クレイム（データがあってはじめてクレイムは成立する）」といったイメージであり、これはまさしく一対である。

理由なしで「これはいいよ」とだけ言う。これでは、最適解を見つけたとは言えない。〝根拠のない主張〟をしてはならない。

このようなクレイムとデータを理解するうえで、格好の例がある。**あなたがある商品をお客様にすすめる理由を列挙してみるシーンを考えてみるといい。データとはなんなのかが肌感覚で理解できる。**なぜなら、このすすめる理由がデータそのものであるからだ。

では、ある商品をお客様にすすめる理由を提示してみる。

1　商品の観点からすすめる理由

- 商品ラインアップが充実しているから（ほかの商品と比べ、質が高い・量が多い等）。
- 価格が安いから（ほかの商品と比べて、価格競争力がある）。

一番いい答え

▲

2　お客様の観点からすすめる理由

・お客様の価値観やライフスタイルなどに合致しているから。

3　会社の観点からすすめる理由

・アフターメンテナンス（アフターサービス・保全）がしっかりしているから。
・財務が健全である↓倒産リスクが低いから。
・属している社員全員が業界の認定試験を受けている。専門家足りうる社員ばかりなので、信頼できるから。

そもそも、人というのは、理由を知らずにはいられない生き物である。トゥールミンモデルを構築するうえで、理由を明確にすることは人にとって心地良いことなのだ。

▲

上質なデータを構築する3つのコツ

データを構築するためには、３つのコツを踏まえてほしい。この３つのポイントを押さえると上質なデータが形作られる。

1「データの中に、数字・統計・資料を入れる」

2「できるだけ具体例・実例・たとえ話を入れ、誰もがイメージできるようにする」

その際、自分が体験したことであれば、よりリアリティを持って伝えることができる。

強いデータとは？

1　数字、統計、資料に基づいている

2　具体例、実例、たとえ話が盛り込まれ、誰もがイメージしやすい

3　第三者の証言、証拠が盛り込まれている

▲

また、他のジャンルや業界の例を挙げると、とても説得力が増す。

3「第三者の証言・証拠を入れてみる」
こうすると、客観的データになり、信頼感が増す。

「証拠」と「あなたの答え」をつなぐ〝隠れた理由〟を探すには？

論証という言葉がある。この意味は、「証拠を示し、論理的に説明すること」（『パーソナル現代国語辞典』）と定義されている。

論拠こそ、データとクレイムを一対にするための筋道そのものなのである。

その論証パターンは、実にさまざまである。ここでその数々のパターンを押さえておく。その際、この論証パターンを考察するうえで大事なポイントは、ワラントの分類化である。

ワラントこそ、データとクレイムをつなぐ橋渡しとなる部分である。

▲

別の言い方をすると、**ワラントこそ、データとクレイムを結びつける〝（表に出ていない）隠れている理由〟**の部分だ。

ワラントには、5つの種類がある。

▽1　因果関係

「ある原因が特定の結果を生み出す」というワラントを、因果関係という。「因果律《いんがりつ》」とも呼ばれる。

論証パターンとしては、とてもわかりやすいものである。このパターンである際、ワラントとはなんなのかを考える必要はない。

というのも、ワラントに何が該当するのかが明確だからだ。冒頭に書いた「ある原因が特定の結果を生み出す」という構図に当てはめればいいのだ。

たとえば、

- 支出を続けると、破綻《はたん》する。
- 毎日5キロの散歩をすることで太らない体になった。

というものだ。

▲

▽2 兆候《ちょうこう》

「ある兆候が出ているとき、別の出来事やルールに関して予測が可能である」というワラントを、兆候という。

インフレが続いている国の経済政策には問題がある。

という場合、兆候のワラントは、

「物価が上がり続けている国は、金融政策に問題がある」

となる。

兆候が隠れた理由となっているのだ。物価と国の経済政策には〝相関関係がある〟ということだ。

▽3 列証

「ある特定の例を用いて、他の例や全体に通じる法則、事実を証明する」というワラントを、列証という。列とは、連なり（並び）のことである。同じような意味が連なっている（並んでいる）かを証明する、のが列証である。

「この定食屋のとんかつは、おいしくない。このお店の食事は総じてまずいはずだ」

という場合は、

「メニューであるとんかつのおいしさレベルを判断基準として、店全体の食事レベルを語るワラント」を用いている。

「ノーベル賞受賞者をアジアで最も輩出している日本の科学レベルは、アジアでは最も高い」

という場合は、

「ノーベル賞のレベルの高さと、科学分野での国力が比例している」というワラントを用いている。


この列証で気をつけるべき点は、一を聞いて十を知るように、十分な数の例が提示されていないのに、列証を使ってはならないということだ。そのような主張にはもちろん説得力はない。

▲

▽4　類推

「よく知っている例を、ある例に当てはめることで、ある例についてよく知っている

▲

例と同様のことが言える」というワラントを、類推という。

よくわからない例とは、自分がこれから主張する予測や意見を表現している。既知を未知に当てはめることで、その未知は既知と同様のことが言える、というのが類推である。

・毎年新入社員の70％が1年後に退職する。だから、今年の新入社員も1年後には3割しか残っていないだろう。
・私の経験からすると、君のやり方は間違いなくうまくいかないだろう。

これなど、年長者や肩書のある人がよく言うコメントの類《たぐい》である。自分が知っている経験を基に、君というおそらく年少でキャリアの浅い相手のやり方を見て、うまくいかないと類推したコメントであることがよくわかる。

類推では、諸外国の例や過去の実例、シンクタンクや研究所などのデータなどがよく用いられる。

が、あまりにそこで用いられた例やデータと、類推する事例がかけ離れていると、類推は機能しないことにも注意する必要がある。

▲

・アメリカでは、大統領制ゆえにトップである大統領にリーダーシップがある。だから日本でも、トップにリーダーシップを持たせるために大統領制にすべきだ。

といったような類推をしたとしても、日本は議院内閣制の国でもあり、アメリカとは全く政治形態が違う。

このような現実からかけ離れた類推は効果を発揮しない。

▽５　権威

「ある権威者が発言しているので、その内容は正しい」というワラントを、権威という。

５つの隠れた理由とは？

１　**因果関係**
ある原因が特定の結果を生み出す。

２　**兆候**
ある兆候が出ているとき、別の出来事やルールに関して予測が可能。

３　**列証**
ある特定の例を用いて、
他の列や全体に通じる法則事実を証明する。

４　**類推**
良く知っている例を、よくわからない例に
当てはめることで、同様のことが言える。

５　**権威**
ある権力者が発言しているので、
その内容は正しい。

▲

一般的に、専門家には情報を解釈する能力があると信じられているので、証拠資料の提示や文献の引用がなくても、人間の心理として権威者の発言を受け入れる傾向がある。

たとえば、

・この殺人事件の手口は女性の犯行であると、警視庁刑事部捜査第一課に所属していた元刑事である専門家が断定した。ゆえに、犯人は女性であろう。

・あのテレビによく出演している名医が推奨しているやり方なので、これはダイエット効果が大いに期待できる。

といったものだ。

このツッコミに耐える証拠は信用できる！

大事なことなので繰り返す。トゥールミンモデルでは、クレイムとデータのつながりが非常に重要である。

▲

強固なデータがあるクレイムは、とても説得力がある。

私が考えるに、説得力とは信用できる度合い（信憑性《しんぴょうせい》）であり、その度合いを高めたり、信用に値する裏付けされた事実が証拠資料、まさにデータだ。

信用できる度合いを高めるため証拠資料を使う場合、以下の3条件が必要となる。

1　出典（書籍・雑誌のタイトル・ホームページのＵＲＬなど）

2　発表された年

3　官庁やシンクタンクなどの組織以外で、著者が表に出ている場合は、名前・肩書

これら3つそれぞれに照らし合わせることで、証拠資料を批判したり、弱めたりすることが容易にできる。

たとえば、この中のひとつでも欠けているのであれば、欠けている点をひとつずつ確認し直せばよい。

たとえば発表された年が抜け落ちていて、確認したとしよう。その証拠資料の発表された年が今から15年前の資料だとわかった。それはかなり古い証拠資料であり、今の現実に即していない可能性が高い。

この証拠資料の3条件は、大学でのレポートや論文を作成する際の〝基本中の基本〟である。

さらに、この3条件を満たしながら、自らのホームページやブログ、SNSを書くことが、誰もが発信者になれる時代ではそれこそ必須の常識となる。

あなたが情報収集のために検索してホームページを見たり、あるいは新聞・書籍を読んだり、ニュース番組を観る際には、この3条件に照らしてほしい。

そうすることで、目に触れた情報が、本当に価値のあるものなのか、あなた自身で見極めることができる。あなたは、物事の目利きになれるのだ。

▽うまい証拠資料の使い方の例

証拠資料の使い方として、とても参考になる書籍を紹介したい。

『天才を考察する―「生まれか育ちか」論の嘘と本当』（デイヴィッド・シェンク著／中島由華訳　2012年　早川書房）である。

▲

この本は412ページにもわたる、読みごたえのある分量であるが、その構成がとてもおもしろい。

本章冒頭にあるように、「主張」篇と「根拠」篇の2つのパートに分かれている。分量としては、「主張」篇が204ページに対し、「根拠」篇が208ページとほぼ同量である。

「主張」篇は、注釈をほとんど用いずに、本書が主張することを読み物風のスタイルで述べている。

一方「根拠」篇では、注釈に多くのページを割いている。裏付けになる資料や文献を挙げ、主張をより明確に、より詳細に提示している。

このように、自分が言いたい主張の裏付け資料や文献までも丹念に書籍として掲載しているところが『天才を考察する』の特徴である。

ここまで本書を読んできたあなたは、言いたい主張の陰に隠れている根拠や理由をあらわにすることは、至極当然であると思っているだろう。

それを具現化している『天才を考察する』はあっぱれと言うほかなく、トゥールミンモデルを学んでいるあなたにとってみれば、絶好のテキストである。

この本をあなたが読みたくなるであろう箇所を引用しておく。この部分こそ、『天才を考察する』のエッセンスであり、あなたが目指すべき行動である。ぜひ、読んでみてほしい。ちなみに、（　）内と太字は私が補った。

筆者（デイヴィッド・シェンク）はわが家のふたりの子供たちの顔を思い浮かべ、彼らもいつか何らかの分野で、テッドと同じほどの決意をもってものごとに取り組めるだろうかと考えた。筆者自身、彼らがそうすることを望んでいるだろうか、と。（テッドとは、テッド・ウィリアムズという最後の打率4割越えを果たした大リーグのレジェンドのこと。『天才を考察する』ではテッドの天才的な興味深いエピソードが書かれている）

本当のところを言えば、筆者はたしかに子供たちに大きな夢を持ってほしいし、あきらめずにやりとおしてほしい。彼らに夢を押しつけることはできないし、そうする気もない。

ただ、筆者自身が父と母に贈られたアドバイスを子供たちに伝えてやることはできる。どんな夢にも価値があって、それに専念したとき何ができるかは誰にもわからな

▲

い、と。

その際に、世代間で異なるところがひとつだけある。筆者の両親は、直感、信念、経験に基づく言葉をかけてくれた。だが筆者は、直感、信念、経験、そして**科学に基づく助言を与えるのだ。**

ダマされないために パターンを知る

ここからは、実際に「ワラント＝隠れた理由」がなんなのかを、さまざまなケースから考えてもらう。そうすることで、ワラントを身近に感じてもらえると思う。

また、そのワラントが本当に正しいかを検証していく。

この項目で紹介するのは、あなたの周りでよく話されている論法、および、根拠と主張の結びつきが弱いよくある議論ばかりである。

その際は、ワラントをあぶり出し、反論してほしい。**反論できるようになればなるほど、あなたは最適解を見つけられるようになる。**

▲

▽1　拡大解釈しているケース

クレイム：日本では貧富の格差が拡大している。
データ：大手マスコミの雑誌（20××年12月号）の記事。「近年、○○大学に入学する学生の親の半分は、平均年収1000万円以上である」

このワラントは、先に紹介した5つのワラントのパターンに当てはめると、「列証のワラント」である。

ということは、

「日本を代表する○○大学の親の平均年収は、日本全体の親の平均年収と同じである」

とか、もうちょっとかみ砕いて
「日本を代表する○○大学は、日本の縮図である」

といったワラントとなる。


ここで、あなたは何か違和感があるはずだ。

▲

それは、○○大学だけを俎上《そじょう》にあげたとしても、そのまま日本全体とまで言えないのではないか、ということである。

○○大学に、日本で有名な大学、東京大学、早稲田大学、慶應義塾大学など、あなたが思い浮かべる大学を入れてみてほしい。

すると、それは、その大学固有の実態であることがわかる。それをもって日本全体や、日本の縮図とまで、一校だけからは見て取ることはできないはずだ。

まとめると、日本全体を論じるには、母数が圧倒的に少なすぎるのである。

別の角度から検証すると、○○大学における学生全員の親の平均年収なのか、を考慮する必要がある。また、年収別の詳しい分布図を見ることができれば、一概に年収における貧富の差はないと反論できるかもしれない。

「列証のワラント」の説明部分でも書いた注意点である「一を聞いて十を知る」といったことは、データからクレイムを導く際に、軽々に行なってはならぬことを、このケースは教えてくれる。

▲

▽2　前提が違うケース

クレイム：人間は200歳まで生きることができる。
データ：〇〇大学・A教授のホームページからの抜粋記事。「近い将来、人間の血管をすべて入れ替えることができれば、人は200歳まで生きることが可能になるだろう」

このケースは、5つのパターンに当てはめてみれば、「因果関係のワラント」と言える。
「ある原因は特定の結果を生み出す」というワラントであるから、
「人間の血管すべてを入れ替えることができれば、人間は長生きできる」
というワラントとなる。

しかし、このケースはデータに特殊な状況が前提としてあり、クレイムが成立しないことが容易にわかる。

全身にすき間なく広がっている血管は、成人の血管をすべてつなげると、約10万キロメートルもある。地球の円周は約4万キロメートルであることから、地球を2周半するのと同じくらいの長さに匹敵する。血管は、動脈・静脈・毛細血管とある。特に毛細血管は、全身に網の目のように広がっている。

前提を疑う。前提を検証することはとても大切であり、このような特殊な状況が前提としてあれば、主張＝クレイムが成立しないことがわかる。

したがって、データ自体に意味があるか否かも、検証する必要がある。

このデータで言えば、「どのような実験で血管を入れ替えることができれば、200歳まで生きることができるのか」といった実験の出典を明示すべきだ。

また、A教授はどんな業績を積み重ねてきて権威になったか、も検証が必要である。注意してもらいたいのが、権威についての取り扱いである。

「権威」とは「その道で第一人者と認められていること。また、そのような人。大家」のことである。掘り下げて、「第一人者」とは「ある社会または分野で一番すぐれ、他に肩をならべる者のないほどの人」とある。

具体的にどの程度、他と比べて優れているのかという点に関しては、実にさまざまな判断基準が存在する。

▲

たとえば、人間の世の中には宗教はもちろんのこと、お茶、生け花、日本舞踊の世界など、さまざまな流派がある。

ビジネスの世界でも、同業他社が形は違えど、熾烈《しれつ》な競争をしている。それもまた、いわば各々の「流派」がしのぎを削っていると言える。

たとえば、創業が古いA社が、新興B社について「歴史が浅く、実績に乏しい」とよくあることを言ったとする。

一方、B社は「A社は歴史が古いだけで組織が硬直化し、技術革新にチャレンジしていない。うちは新しい分、柔軟な発想で常にイノベーション（技術革新）し、今ではA社よりもお客様の支持を得るところまで成長した」といったような反論をするだろう。

このように権威自体も、「年数をどれだけ多く重ねてきたか」「支持を得ているのか」といった、見方・判断基準が存在する。権威のあり方も、さまざまな解釈ができることを理解してもらいたい。

まとめると、このケースでいえば、A社の言う「歴史」も権威の一要素であるが、B社の言う「お客様の支持」も権威の一要素であるのだ。

一方だけを見て、権威と決めつけてはならないことを教えてくれる好例である。

データを見極めるテクニック１
「思考を思いっきり振る」

ここからは、データを見極める方法を紹介する。

まずは、「思考を思いっきり反対に振って、真逆の主張の理由を考える」という方法がある。

トゥールミンモデルを学ぶことで、批判的思考能力を身につけることができる。ここでいう「批判的」とは、巷《ちまた》で使われているニュアンスとは違う。「なんでもかんでも、物事を疑う」という意味ではない。「本質を見極める」という意味である。トゥールミンモデルを学べば、本質力が身につくのである。

たとえば、以下のようなクレイムとデータがあったとする。

一番いい答え

▲

クレイム：電気自動車は、地球にやさしい。
データ：というのは、電気自動車は、化石燃料を使わないからである。

このクレイムを崩すには、どのような反論をすればよいのか？

「電気自動車は、地球にやさしくない」と主張すればよい。相手の主張をまずは全否定してみることから始めてみる。後は逆算して、相手の主張の理由の裏を突いていく。

ここで言えば、「逆に、電気自動車は化石燃料を大量に使う」と思考を思いっきり反対に振って、真逆の主張の理由を考えてみる。**シンプルに、そのまま逆の理由を書き出せばいいだけ**である。

もう少し詳細に表現すれば、「というのは、電気自動車の製造やメンテナンスに多くの化石燃料が必要になるから」としてみる。

もちろん、このデータをより強固な理由・根拠とするためには、ここでは「多くの」とだけ書いたが「どれくらいの量の化石燃料が必要になるのか」といった裏付けが必要になることは言うまでもない。

▲

「逆に〇〇。というのは△△だから」

これが相手のクレイムの裏を突くための勝利の方程式である。

この方程式を利用することで、相手とやり取りしているさまざまな論点に関し、さまざまな見方・考え方があることが理解できる。

あなたの思考は柔軟になり、より自由な発想が生まれ続ける。これこそが、「批判的思考能力」＝「本質力」の言わんとする核心である。

先の例にあった、

クレイム：電気自動車は、地球にやさしい。

データ：というのは、電気自動車は、化石燃料を使わないからである。

での、ワラントは、

「化石燃料を大量に使用すると、温室効果ガスをより多く排出することになるから」

である。

▲

【引用・参考】温室効果ガスの種類（気象庁のホームページより）

人間活動によって増加した主な温室効果ガスには、二酸化炭素、メタン、一酸化二窒素、フロンガスがあります。

二酸化炭素は地球温暖化に及ぼす影響がもっとも大きな温室効果ガスです。石炭や石油の消費、セメントの生産などにより大量の二酸化炭素が大気中に放出されます。また、大気中の二酸化炭素の吸収源である森林が減少しています。これらの結果として大気中の二酸化炭素は年々増加しています。

これは、5つのパターンで言えば、「因果関係のワラント」である。

わざわざ、ワラントを浮き彫りにしなくても、ここでの論点である「電気自動車は、地球にやさしいか否か」を深掘りできるのが、「逆に○○。というのは△△だから」というテクニックである。

トゥールミンモデルは、自分の主張がうまく成立しているかをチェックするのはもちろんのこと、相手との議論・討論・話し合いの中で、互いに検証できるツールでも

▲

ある。

データを見極めるテクニック２
「裏を突く方程式」

「逆に〇〇。というのは△△だから」というテクニックを基に、あるデータに信憑性があるか見極める方法もある。

たとえば、以下のようなクレイム・データがあったとする。

クレイムA：国民は消費税の増税を望んでいない。
データA：街頭での１００人へのインタビューで70人が反対していた。

このクレイムAとデータAのセットに対して、信憑性があるかを見極めるため、先の相手の裏を突く勝利の方程式を当てはめてもらいたい。

▲

クレイムB：国民は消費税の増税を望んでいる。
データB：M新聞によれば、全国から無作為で選んだ1万人のうち、55％が賛成していた。

この場合、どちらのクレイムに軍配が上がるだろうか？

その際、**それぞれのデータ（根拠）の比較を行ない、調査対象の質・量を見比べることがポイントとなる。**

「限られた街頭　＜　全国無作為」

「100人　＜　1万人」

2つの質と量の観点から見て、Bのクレイムに「軍配が上がる＝説得力がある」のは、明白である。

しかし、見る（聞く）とやるのでは、大違い。ここでは当たり前に見えても、自分では、思わずクレイムAとデータAのセットを主張してしまうのが人間である。ぜひとも、気をつけてもらいたい。

何度も書くが、知っていると、使いこなす、では大きな違いがある。とにかく、自分でやってみて体感してみてもらいたい。あなたに、何もしない傍観者、単なる批評家だけにはなってもらいたくないのだ。

▲

比較思考で質の高いデータを選ぶ

ここでさらに、データの信憑性を比較する方法を5つ紹介する。

▽方法①データ（証拠資料）の質

先の「消費税増税の部分」で説明したデータを見極めるテクニックは、データにおける調査対象の質を見極める方法であった。それも、このデータ（証拠資料）の質に該当する。

そして、データ（証拠資料）を引用する場合には、出典・発表された年、著者のいる場合は名前や肩書が必要になる。

また、古い資料よりも新しい、最新の資料のほうが説得力がある。これらの情報によって、データの質を見極める必要がある。

A企業：私どもA企業の内部調査において、不正行為をした事実はないと、判断いたしました。

B新聞：A企業は、10年にわたり偽装工作をしていたことが、内部告発により明らかになりました。

A企業は疑惑の当事者である。ゆえに、客観的立場から具体的な不正行為を報道したB新聞のクレイムに説得力があることがわかる。

▲

▽方法②理論と事実

机上の空論的な理論よりも、事実のほうが信憑性は高い。

A：高齢社会であるがゆえ、その分亡くなる人も増え、市場に多くの土地が出回るようになる。その結果、地価は下落する傾向にあるだろう。

B：現在、高齢社会ではあるが市場に土地が出回ったところで、すぐに外国人投資家が購入するというデータがある。ゆえに、地価は下落することなく、逆に上昇する傾向にあるだろう。

この場合、現実のデータを裏付けとして実情に迫っているBの主張に説得力、信憑性がある。

▲

▽方法③統計調査と1回だけの事実

同じ事実であっても、1回だけの事実より、それを多く集めた統計調査のほうが信憑性が高く、説得力がある。

別の表現をすれば、個人の経験談より、官公庁・シンクタンク・テレビ局・新聞社など、多くの人に調査したアンケート結果のほうが実態をより表している。

5つのワラントの種類でお話しした「列証」や「拡大解釈」でも触れたが、個人の経験談や少ない事実から、「一を聞いて十を知る」ことはできないのだと、再度肝に銘じてほしい。

▲

▽方法④現状の分析と計画を実行した後の分析

計画を実行することで、現状が大きく変わることはよくある。

このため、今の状況に依存したクレイムより、実際に計画を実行した後の影響を考慮したクレイムのほうがより信頼でき、説得力があると言える。

A：統計調査によると、ほとんどの小学生はディベートに興味がない。だから、小学生からディベート教育をしても意味がない。

B：実験的にディベート教育を導入している小学校では、過半数の生徒が「ディベートはとても楽しく、ためになる」と答えている。

このケースは、現状Aという状態から、計画を採用（ディベート教育を導入）することで、生徒の興味が変化したと考えられる。よって、その影響を考慮したBのクレイムのほうが信用できる。

▽方法⑤相手のワラントを否定して、さらにもう一段掘り下げる

▲

相手の理由を踏まえた上で、さらにもう一段掘り下げた理由付けを行なって、相手の主張を否定してみる。それができれば、比較の際に説得力あるものになる。

これこそ、相手の隠れた理由（ワラント）を浮き彫りにし、そのワラントを否定することで、相手のクレイム自体を否定する方法である。

方法⑤を知ることで、ワラントの正体がよりよくわかる。

A：このジェットコースターには、最新のコンピューターが搭載されているから安全だ。

B：最新のコンピューターが絶対に誤作動がないとは言えないので、このジェットコースターの安全性は完全とは言えない。

Aの主張の拠り所となるデータは、「最新のコンピューターが搭載されている」ことである。そして、ここの隠れた理由（ワラント）は、「最新のコンピューターは処理能力が早く、さまざまなリスクを制御できる」としよう。

話はそれるようだが、ワラントはいろいろな角度から多様な表現ができる。解はひとつではない。

たとえば、「最新のコンピューターは、ほとんど誤作動がない」だとか、「最新のコンピューターの安全機能はほぼ万全である」などの表現ができる。

ここでのワラントでは、「最新のコンピューターはとりわけ優れている」といったコアメッセージをしっかり補足できていればいい。

一番いい答え

▲

話を戻す。そこでBはAのワラントである「コンピューターそのものの不安点」に言及し、批判の目を向け、反論を加えている。

まさしく、相手の隠れた理由まで触れ、深い理由付けを行なうBのクレイムには説得力がある。

このワラント攻撃ができるようになってもらうのが、本書の役割であり、目的のひとつである。

▲

ちょっと小休憩

どんな学習も、目でさらっと読んだだけでは、効果はない。私が指導する際には、データの信憑性を比較する５つの方法をそのまま暗記してください、と話している。学習するときの暗記の意味と、重要性を伝える。

今度本を執筆する機会があったら、必ず触れたいと思っていた人がいた。御年83歳になられても、なおご活躍されている俳優の伊東四朗さんの話である。

ここまで、一気にトゥールミンモデルについて話してきたので、一休みするつもりで読み進めてほしい。

（以下、２０１８年5月4日　スポーツニッポンより）

体は動かさないと。体力面だけじゃなく、頭脳にも影響する。運動することで記憶力も活性化すると思うんです。

我々の世界は、覚えることが、かなりのパーセンテージを占めますからね。

記憶力といえば、バカな話ですが、円周率を1000桁覚えました。ある時、新聞のコラムに円周率30桁を語呂合わせで簡単に覚える方法が書いてあった。「3・14」ぐらいは知っていたんですけど、同じ年生まれの加山雄三さんと対談した時、その話をしたら「ああ〝産医師異国に向こう〟だろ」って。彼も子供のころに覚えたらしい。

それで私もやってみたら、30分以内で30桁を覚えられた。じゃあ次は100桁を覚え、その後、1000桁を目標にしたんです。何カ月で覚える！　とかじゃなく、のんびりやってみようとね。

02年ごろだったと思います。ドラマの撮影の合間にブツブツ、電車の中で変なおじさんと思われながらブツブツ（笑い）。どれくらい期間がかかったか分かりま

▲

せんが、いつの間にか1000桁になっていました。

ほかにも百人一首に日本の旧国名、米国50州、世界の国名、野球のメジャーリーグ30チーム、サッカーのJ1 18チームとかも覚えました。方法はとにかく反復。驚かれるけど期限がなければ誰でも覚えられますよ。やらないだけ。ばかばかしいから（笑い）。

今も毎日、何かしら暗唱してます。途中でつかえるともう一度最初からとか、楽しみながらね。脳細胞は一日に何十万も減っているとか聞くと怖いじゃないですか。残ってる脳細胞で何とかしなきゃいけない。休ませないようにしないとね。

・
・
・

▲

好き嫌いは後！まずは、情報をそのまま読み取ろう

あなたにも、好きな作家やエッセイストがいるはずだ。好きな理由には、文体や書かれている文章のリズムが、自分の性《しょう》に合っている点などが挙げられるだろう。

私は作家の浅田次郎さんが好きだ。特に、ＪＡＬの機内誌『SKYWARD』で書かれている「つばさよつばさ」というエッセーが大好きである。テンポ、リズム、そして書かれる対象の選択が絶品だ。

また、毎日新聞の日曜日に、別刷で付いてくる『日曜クラブ』内の「松尾貴史のちょっと違和感」もつい読んでしまうエッセーである。その時々の時事問題をテーマに、松尾氏独特の視点で斬《き》りこんでいる。

自然と好きになってしまう書き手がいる反面、「どうも、この人が書いていることは合わないな」と思う作家も当然のごとくいるものだ。

しかし、なぜ合わないのかを、言語化して、理由まで述べられる人は少ない。

▲

私は2006年から本を書いてきた。その間、各作品のアマゾンなどのレビューを拝読してきた。もちろん読者の自由なので批判は大いにけっこうである。が、たまに本当に読んでくれたのかな、と悲しくなるレビューも存在する。本の内容をしっかり押さえたうえで批評していないレビューも存在していると正直感じている。

そんなとき、受験現代文のレジェンド講師で、現在出版社も経営されている出口《でぐち》汪《ひろし》先生が、よく言われるメッセージを思い出す。

それは、**「筆者の言いたいことを、そのまま読み取りなさい」**ということだ。

人はどうしても、他人に対しても、文章に対しても反応してしまう傾向がある。

しかし、大切なことは、「その人が何を言おうとしているのか」をまず把握すること。

そのあとで、自分の好き嫌いの判断を加えればいい。

「その人が何を言おうとしているのか」という点について、トゥールミンモデルは謎解きをしてくれる強烈な武器となるのだ。

自分とは違う相手が何を言わんとしているのかを、正確に読み取れること。

このことは、自分とは違う考え方・見方を客観的に受け止められることを意味する。

言い換えれば、あなたは物事に対する視野が広がり、考察が深くなるメリットを享

▲

受できるようになる。相手にとっても、自分にとっても、そのまま読み取ることはいいことだらけなのだ。

それではここから、いくつかの文章を引用しながら、その著者が何を言わんとしているのか、トゥールミンモデルを使って解明していこう。

ワラントを探す例題を紹介していくので、あなたも解いていってほしい。

情報が「何を言おうとしているのか」を探す
例題① 談志師匠の言葉

それでは、例題1として、「松尾貴史のちょっと違和感」（毎日新聞日曜版2015年11月15日）から、ワラントを探してみよう。

▪ ▪ ▪

結婚式などの宴《うたげ》の司会を引き受けることも少なくないが、大勢の来客を2、3時間「盛り上がっている」という気分にさせたまま持続するのはなかなかやりがいのある作業だ。

漫画家の赤塚不二夫さんが紫綬褒章《しじゅほうしょう》を受章なさったときのお祝い披露宴の司会を担当したとき、パーティーの中盤に司会席の私のそばに立川談志《たてかわだんし》師匠が近寄ってこられた。そして耳元で、「客に拍手を催促するな。自分の司会がいかに拙《つたな》いかを白状するようなもんだ」と囁《ささや》かれた。

それまで当たり前のように使っていた「皆様、盛大な拍手をどうぞ！」は、司会者らしい言葉の最たるものだと思っていたが、実は恥ずかしいことだったのか！

私は目から鱗《うろこ》が落ちた、というよりも衝撃を感じた。そういう観点でものを見ていなかった。

しかし考えてみれば、拍手喝采《はくしゅかっさい》は客が自発的にしなければ意味がない。そうだ、主役や登壇する人など、紹介する対象にも失礼なことではないか。

それからというもの、内容と間合いと発声法で、自然と来客から拍手が起きるように工夫することにした。以来17年間、私は司会を務める時に「盛大な拍手を！」という言葉は封印、禁句にしている。

■

■

■

さて、ここでポイントにしたいのは、私が大好きな落語家である立川談志師匠が放った言葉である。

「客に拍手を催促するな。自分の司会がいかに拙いかを白状するようなもんだ」

私も結婚式や二次会など数多くの司会をさせてもらった経験がある者として、松尾氏が言う「皆様、新郎・新婦に盛大な拍手を」的なことを常に言い続けてきた。このエッセーを読んだとき、私も松尾氏と同じように封印・禁句とした次第である。

それでは、談志師匠が言った部分をトゥールミンモデルに当てはめてみよう。

▲

クレイム：客に拍手を催促するな。

データ：自分の司会がいかに拙いかを白状するようなもんだ。

それでは、ワラント（隠れた理由）はなんなのか。

リサーチの順序も、改めて確認するため順序通りにやっていく。まずは、ここのクレイムのキーワードである「拍手」についてである。

「拍手」には、次のような意味がある。

▲

「激励・祝意などを表すために手を打つこと」

ちょっとこの意味だけでは物足りないので、ネットで検索をかけてみる。

たとえば、「拍手　なぜする」で検索をかけると、興味深い記事が出てきた。２０２０年6月14日の朝日新聞の記事である。

「生徒児童10万人『感謝の拍手』に賛否　強制するもの？」というタイトルの記事だ。

■　■　■

さいたま市の全市立学校１６８校の児童・生徒約10万人が15日、新型コロナウイルスに対応する医療従事者らに「感謝の意を示す」として教室などでいっせいに拍手をすることになった。計画した市教委は「子どもの心を育てる意義深い教育活動」としている。（中略）
市教委は10日に今回の計画を各学校長に通知。「生活を支えてくれている人々への理解を深め尊敬や感謝の念をもつことができるようにする」ためのものと説明している。また取材に対し担当者は「拍手前後の指導を含め全体で一つの教育活動だ」と答えた。

▲

一方、「唐突で、なぜ拍手を送るのか子どもは理解していないかもしれない」と話すのは40代女性教員。「子どもたちからやりたいとなったわけではないし、周囲でも『感謝の気持ち』は指示されて生まれるものなのかという話が出ている」と言う。

50代の男性校長も「ポーズっぽくて嫌だなという思いはある」と明かすが「深く考え出すと『私はやらない』という人も出てくる。良い風に解釈し実施したい」と語った。（中略）

関西学院大の桜井智恵子教授（教育社会学）は今回の計画について「世界で流行している医療従事者への拍手は感動的な話だが、自らすすんでするもの」としたうえで、こう指摘する。

「なぜ医療従事者は厳しい立場に置かれたのか、国の保健医療政策が不十分で感染症病床が激減したからではないのかなど、子どもが原因や背景を考えることが重要。一側面の情報だけ与え全員に『すばらしい』と称賛させるやり方は考える機会を奪ってしまう」（山田暢史、釆沢嘉高）

■

■

■

▲

この記事にある〝拍手〟の意味は、尊敬や感謝の念を表すためのものである。このように、拍手は、激励・祝意といった辞書の意味も含め、尊敬・感謝・賞賛・賛意・歓迎・感激といった感情を伝える行為でもある。

いわば、「相手を引き立てるといった意味である」と考えるとわかりやすいかもしれない。もうちょっと細かくみてみる。〝拍手〟の意味にある、感謝・激励・祝意の３つの意味についてである。

感謝＝ありがたく感じて謝意を表すること。
激励＝はげまして気を引き立たせること。
祝意＝祝う気持ち。

どの意味もやはり、自発的な感情であり、強制的にやれと言われると、ちょっと違和感がある。

そして、データのところにある〝司会〟についても調べてみる。

司会＝会の進行をつかさどること。

随分と材料がそろったので、ワラントを構築してみよう。

▲

クレイム：客に拍手を催促するな。
データ：自分の司会がいかに拙いかを白状するようなもんだ。
ワラント＝（拍手は客の自発的な発露からなされるものであり、）司会者が半ば強制的に、客に対して拍手をあおるものではないから。

どうしても、話し言葉なので、とりわけ、データにある「自分の司会がいかに拙いかを白状するようなもんだ」という談志師匠の言葉がわかりづらい人もいるかもしれない。

ただ、そういうときこそ、著者の文脈に立ち返れば、答えが見つかるものである。「それからというもの、内容と間合いと発声法で、自然と来客から拍手が起きるように工夫することにした」

この部分こそ、談志師匠が言っている、司会者の力量とは、「内容と間合いと発声法で、自然と来客から拍手が起きる」ことだと推測できる。

だから、ここでは当然の祝意を、わざわざ半強制的にあおるのは〝司会が拙い〟、と談志師匠は表現しているのだ。

辞書的な意味（具体的に言えば、辞書にある言葉の正しい定義・意味・語源のこと）から新聞記事などを参考に、この例文を扱ってみた。このたとえにあるように、一文だけでとらえるのではなく、その前後の文脈を通してようやく理解できる内容が多い。

今の時代、文脈は全く考慮《こうりょ》に入れず、ある一文の過激でセンセーショナルなワードだけが飛び交い、ものを判断することが多い。

きわめて情緒的であり、それは不正確極まりない情報の収集法だ。ツイッターの140文字で情報を伝えられるツールの便利さを私自身理解しているが、ものの道理などを説明する際には字数が圧倒的に少ないと感じることもある。

だからこそ、松尾氏の文章を長く引用させていただき、全体像を見てもらうために多くの引用をしてみた。ワラントを深く理解するための醍醐味《だいごみ》を感じてもらえればと思う。

私も元来どちらかというと、いろいろやること、なすこと億劫《おっくう》になってしまう性格である。とはいえ、この世の中、すべて億劫がったら、精巧なものは生まれない。

ましてや、億劫がっていては、トゥールミンモデルのような便利なシステムを使い

▲

こなすことなどできない。ゆえに、やるときには、重い腰を上げてでもやらねばならない。

面倒くさがったり、不作為では、必ずしっぺ返しが自分に跳ね返ってくるのが人の世である。

だから、ワラントをしっかりあぶり出す。

あぶり出してわかること。それは、ワラントとは、価値観や美学といった、「その人固有の哲学」であることだ。

それぞれの意味を調べてみると次のように書かれている。

価値観＝善悪・好悪などの価値を判断するとき、その判断の根幹をなす物事の見方。

美学＝美しさに関する独特の価値観・こだわり。

哲学＝俗に、経験などから築き上げた人生観・世界観。また、全体を貫く基本的な考え方・思想。

この3つのビッグワードからわかるように、**物事の見方、独特のこだわり、そして、人生観や全体を貫く基本的な考え方といったことが、ワラントには潜んでいるのだ。**

だからこそ、あなたはワラントを可視化する必要があるのだ。

▲

情報が「何を言おうとしているのか」を探す
例題②　7年後、文句を言うべきか？

私が仕事で接する30代以下の人々で新聞を自宅で購読している人は皆無である。そのくらい、新聞離れが叫ばれて久しい。

とはいっても、こんなに情報満載の媒体を使わない手はない。先にも書いたように、デジタル版などが購読できる。私も、毎日新聞をはじめ、朝日新聞、夕刊フジ、日刊ゲンダイ、東京スポーツをデジタル版で購読している。

例題②として紹介するのは、「人生相談」（高橋源一郎／毎日新聞　2019年2月18日）の文章だ。

引用元が毎日新聞と続いているのは、私が25年以上の長きにわたり購読しているゆえ、一番よく特徴やクセ、そしておもしろい記事のありかを把握しているからである。

あくまで、トゥールミンロジック上達のための素材の良さという点を考えて文章を選んでいるため、毎日新聞に偏りがあることをご容赦いただきたい。

▲

小説家でありながら、サンケイスポーツ新聞紙上で競馬予想コラム「こんなにはずれちゃダメかしら」でお馴染《なじ》みの高橋源一郎氏。

毎日新聞の名物コーナーである「人生相談」には、高橋氏以外にも4〜5人の回答者がいる。

その中でも、高橋氏の回は、端的な文章、深い人生の機微が随所に垣間見《かいまみ》られる。

この方の担当回はかなりの高確率で、ハッとさせられる回答に触れることが多い。

この例題で使う文章のタイトルは、「許せない人に文句言いたい」である。

■ ■ ■

小学校の教師になって、30年目になります。子どもたちに囲まれ、毎日、楽しく仕事をしています。

しかし、今までにどうしても許せない理不尽な保護者2人と同僚1人がいます。

定年退職をしたら、この3人には、一言文句を言おうと思っています。

しかし、そんな昔のことはきれいさっぱり忘れ、今後の人生のことだけを見た方がいいと思う自分もいます。7年後、どうしたらいいでしょうか。(53歳・男性)

■ ■ ■

以上の相談に高橋氏は回答するのだが、トゥールミンモデルにあえて当てはめてみると以下のようになる。

クレイム：7年後、定年退職したら、理不尽なことをした3人に文句を言うつもりだ。
データ：私（相談者）は、その理不尽を現時点でも許せないから。

高橋氏の人生相談のバックナンバーを調べてみると、いかに、「許せない」という感情に多くの人がさいなまれているか、また、そのような感情を抱えているかがよくわかる。

ちょっと調べただけでも、次のような相談があった。

「親の振る舞いが許せない（2020年2月23日）」「怒りと憎悪だけの自分（2019年8

月4日）」「酒に酔い母を殴った父（2019年5月12日）」「死んだ夫の裏切り知った（2019年4月21日）」「50年前の不義理が頭よぎる（2019年3月25日）」「姉にセクハラの夫、許せない（2018年11月5日）」「次男の交際相手に納得できない（2016年7月18日）」

人間の執念や怖さを感じるとともに、自分を含め多くの人に多かれ少なかれ、そういう「許せない」感情は存在するから、これら相談の数々が身に染みるのだと思う。

さて、本題のワラント探しに戻る。

クレイム：7年後、定年退職したら、理不尽なことをした3人に文句を言うつもりだ。
データ：私は、その理不尽を現時点でも許せないから。

高橋氏は以下のように回答する。

■　■　■

「憎しみ」は「負の感情」です。愛情深く育った人間が、たいてい愛情深く育つのは、「負の感情」を知らないからです。

▲

逆に、「負の感情」を浴びて育った人間は、他人にまたその「負の感情」を差し向ける。そんな例を数多く見てきました。

だから、そんなつまらぬ「負の感情」に支配されないようにしてください、と書いておけば、間違いはないと思います。でも、そう簡単に割り切れませんよね。

映画「女は二度決断する」は、テロリストによって夫と子どもを殺された女の物語です。詳しくは書けないのですが、主人公は最後に「ある決断」をして、テロリストを殺そうと決めます。

「衝撃的結末」というコピーに、わたしの妻は「衝撃でもなんでもない。わたしだってそうする。法律の手なんか借りない」といいました。理解できる、とわたしは思いました。

家族を奪われ、法からも見捨てられた（犯人は無罪になるのです）主人公は慟哭《どうこく》の果てに、自らの手で決着をつけようとします。

それは「憎しみ」のためでしょうか。違う、とわたしは思いました。映画の全編に伝わってくるのは、犯人への「憎しみ」ではなく、失われた家族への底知れぬ、自分の身を滅ぼすほどの「愛情」だったのです。

▲

誰か(への愛)のために心から怒るのなら、そうしても構いません。そうではなく、自分のひと時の感情から来た「憎しみ」故の行動なら、結局、傷つくのはあなたの方なんですよ。

■　■　■

この例題から、ワラントを見つけ出していく。とはいえ、相談そのものや、高橋氏の回答には文字数に限りがある。

だからこそ、筆者(ここでは相談者や高橋氏)の言いたいことを、そのまま読み取っていくことが重要である。省略されている箇所は、補わなければひもとけないので、そこは私の解釈で読み解いていく。

ワラントを見つけるポイントとなる文章は、次のような部分だ。

・「憎しみ」という「負の感情」を浴びてしまったら、他人にそれを差し向ける。
・紀元前にバビロニアを統治したハムラビ王の法典にある、「目には目を、歯には歯を」のような同害報復である。

▲

ここで高橋氏は、相談者に考え直してもらうため、例を使いながら、結論（このクレイム）をやんわりと否定する。それこそが人生相談の真骨頂である。

高橋氏は、最後の最後でこう締めくくる。

・自分のひと時の感情から来た「憎しみ」故の行動なら、結局、傷つくのはあなたの方なんですよ。

ということで、以下のようなトゥールミンモデルとなる。

クレイム：定年退職しても、理不尽なことをした３人に文句を言わないほうがいい。
データ：自分のひと時の感情から来た「憎しみ」故の行動なら、結局、傷つくのはあなた自身だから。

高橋氏のワラントは、こうだろう。

▲

ワラント：「憎しみ」という「負の感情」は、連鎖するものだから。

あえて、この人生相談に書かれている言葉、文脈を使って、ワラント探しをしてみた。高橋氏のワラントは、もう少し言葉を継ぎ足せば、以下のようになる。

「憎しみ」という「負の感情」を他人に差し向けることは自己満足でしかない。それでも、他人に向ければ、その「憎しみ」がまた相手の「憎しみ」となり、あなたに返ってくるものだから。

〝自己満足〟と書いたのは、高橋氏の回答にある「誰か（への愛）のために心から怒るのなら、そうしても構いません」という箇所の反意語だと捉えてもらえるといい。

新聞にある、人生相談やエッセーひとつとってみても、トゥールミンモデルの練習には事欠かないのだ。

▲

情報が「何を言おうとしているのか」を探す

例題③ コロナの仮説

次に、例題③として「新型コロナ 日本はなぜ死者が少ないか」（デジタル毎日 医療プレミア特集 2020年9月4日）の文章を紹介する。

2020年の年初に、世界の大半の人々はそのあとに来る事態を想像だにできなかったであろう。

生活スタイルやビジネスのあり方までも、一変させてしまった新型コロナウイルス。今、医師や研究者は日夜、新型コロナウイルスの正体を暴くため、奔走《ほんそう》してくれている。正体が暴けない段階で、仮説を立て、それを検証することの重要性・有効性を示してくれている記事であったので、それを例題とする。

ちなみに、これは、毎日新聞のｗｅｂ版（デジタル毎日）で、その中の医療プレミアというコーナーの記事である。

毎日新聞によれば、医療プレミアでは、新聞に掲載されていないデジタル独自の記

▲

事を、豊富な外部執筆陣も加えて掲載してくれているということだ。

ここで、仮説の意味を示しておく。

仮説（hypothesis）一定の現象を統一的に説明できるように設けた仮定。近代科学では、ここから理論的に導きだした結果が観察・計算・実験などで検証されると、仮説の域を脱して一定の限界内で妥当する法則や理論となる。

次の記事では、まさしくこの〝仮説〟という言葉がキーワードとなる。

■ ■ ■

なぜ日本は、新型コロナウイルス感染症で欧米より重症者や死亡者の数が少なくて済んでいるのか。

その謎を解く鍵として、国際医療福祉大学大学院の高橋泰教授（医療情報学）は「大半の日本人はもともとの免疫の働きで、症状が出ないままウイルスを排除している」との説を提唱している。

「特に現役世代では重症化するリスクは高くなく、経済活動を止めることによる

デメリットの方が大きい」と主張している。【くらし医療部・熊谷豪】

▲

Ｑ：新型コロナは、どのように感染が広がっていると考えていますか。

Ａ：このウイルスの特性を考えるには、ウイルスが体内に入り込む「暴露」▽ウイルスが更に細胞に入り込み増殖する「感染」▽発熱などの症状が出る「発症」▽ウイルスを排出する「伝染」の四つの段階を区別する必要があります。

国内ではすでに、かなり多くの人が暴露していると考えられます。この段階では、ウイルスの数が非常に少ないので、ＰＣＲ検査（遺伝子検査）は通常、陰性になることがほとんどと思われます。

ウイルスが細胞内で増殖する感染状態になっても、もともと持っている白血球などがウイルスを排除します（自然免疫や細胞性免疫等）。

大半の人は発症しない、または軽い風邪症状と考えます。わずかな割合の人だけがこの免疫では抑えられずに発症し、ウイルスを除去する抗体ができます（獲得免疫）。

▲

この過程では、高熱や強い倦怠感《けんたい》などの症状が出ます。つまり、ウイルスにさらされても、重い症状が出る人はわずかなのです。

確かにこれは仮説です。しかし、ウイルス自体は欧米と同様に国内に広がっていると考えるのが自然なのに、抗体を持っている人が東京都でもわずか0・1％（厚生労働省調査）であること、無症状の感染者が次々に見つかっていること、PCR陽性者が増えても重症者や死亡者が増えない現状など、多くの人が不思議に思っている現象を明確に説明できます。

Q：どんなきっかけで、その仮説に至ったのですか。

A：私はこれまで主に医療政策について、いま起きている人口減少などの事象を分かりやすく説明し、政策の方向性を提案する仕事をしてきました。

感染症の専門家ではありませんが、新型コロナについてもさまざまな論文を読み込みました。

米国医師会雑誌（JAMA）で5月に、抗体ができてくるのがインフルエンザ

▲

と比べて遅いことを示す論文がありました。

新型コロナウイルスは毒性が弱く、自然免疫や細胞性免疫等が簡単にやっつけているのではないかと考えたのです。

インフルエンザと同様に、感染者イコール発症者と考えると、致死率は数%。いま国内のPCR検査陽性者は7万人弱（8月末現在）ですが、感染が多くの国民に広がると甚大な犠牲者が出る計算になります。

実際には、感染しても発症しない人が大半で、かかった場合の致死率はインフルエンザよりはるかに低いと思われます。

特に現役世代の人たちにとっては、弱毒のウイルスであり、風邪のようなものと捉えるのは間違いではありません。ただ、高齢者など重症化しやすい人にとっては、注意が必要なことも忘れてはいけないと思います。

Q：欧米で多くの犠牲者が出たのはなぜでしょうか。

A：高齢者施設で感染が広がり、多くの人が亡くなりました。

▲

日本では、流行当初がちょうど季節性インフルエンザの流行期と重なり、高齢者施設が外部の人との面会を謝絶するなど、感染対策を徹底していたことが功を奏した面が大きいです。

他にも、コロナウイルスに対する自然免疫的な力が日本を含めたアジア人において、他の地域の人より強いことが考えられます。

また日本人は欧米人と比べ血が固まりにくく、免疫が過剰に働いて自分の臓器を攻撃する「サイトカインストーム」が起きた時により重症化させる血栓ができにくいことも、死亡率の低さに大きく関わっています。

Q：国内では、春の第1波と比べて、7月以降の「第2波」では死亡率が低下しています。ウイルスが弱毒化したのでしょうか。

A：PCR検査を増やしたのが最大の要因です。

「もともとコロナは弱毒」というのが私の持論ですが、重症化するのがまれな若い世代に対しての検査が進んだために、見かけ上、さらに重症化する割合や致死

▲

率が低くなりました。

この病気は、感染が判明した時、社会的にバッシングを受けることのほうが怖くなってしまいました。患者に対する差別や偏見がないよう啓発が大事です。

Q：7月に他のメディアがこの仮説を紹介しました。異論はありましたか。

A：「仮説ではないか」という反論もありました。明治時代の海軍軍医で、東京慈恵会医科大学創設者の高木兼寛《かねひろ》のエピソードを紹介しましょう。

国民病だった「かっけ」についての研究で、上級士官が罹患《りかん》していないことに着目し、栄養が原因だと主張しました。

しかし、陸軍では細菌による病気だという説が主流で、後に高木の説が正しいと分かるまで適切な対策が取れずに、多くの犠牲者を出しました。

仮説が立証されるまで、私たちは、経済活動を我慢し続けなければならないのでしょうか。

経済活動を止めれば、経済苦から自殺する人が増える可能性もあります。それ

▲

だけの犠牲を払っても守るべきものなのか、疑問です。

Q：具体的にどう経済活動をすべきだと考えますか。

A：年代別で対策を変えるべきです。重症化するリスクが低い若い人は経済活動を自由にすべきです。

ただ、高齢者など重症化リスクの高い人の場合は、インフルエンザと同様の対策を取るべきです。流行している間は、高齢者は人の多い場所に行くのを避けたほうがいいでしょう。

高齢者施設も、外部との交流を制限するなどの対策をしっかり取る必要があります。こうして感染症対策と、経済活動のバランスを取ることができると考えています。

高橋泰（たかはし・たい）　1986年金沢大学医学部卒、東大病院研修医、東京大学医学系大学院（医学博士）、米国スタンフォード大学アジア太平洋研究所客員研究員、ハーバード大学公衆衛生校武見フェローを経て、９７年より国際医療福祉大学大学院教授、２００４～０８年医療経営管理学科長、０９年より大学院教授、１６～２０年医療福祉学部長（大田原・赤坂）、大学院教授兼務。人口減少による「消滅可能性都市」を示した日本創成会議・人口減少問題検討分科会のメンバーなどを務めた。

■　■　■

高橋氏は、本文にて、傍線部分の仮説を打ち出した。

こういう記事を読む際に、頭の中で整理し（もしくは見える化して、メモなど書き出すことが大事）、文章そのものを立体化するなどして、イメージを浮かべながら読めるようになると、あなたはトゥールミンモデルを使いこなしていることになる。

この文章のクレイムとデータは次のようになる。

クレイム：日本は、新型コロナウイルス感染症で欧米より重症者や死亡者の数が少なくて済んでいる。

データ：（新型コロナ）ウイルスが細胞内で増殖する感染状態になっても、（多くの日本人は）もともと持っている白血球などがウイルスを排除しているから。

ワラントを探してみると、次のようになる。

ワラント：新型コロナウイルスは毒性が弱く、自然免疫や細胞性免疫等が簡単にやっつけているので。

この一連のクレイム・データ・ワラントが1セットとなって、高橋氏は仮説を提示している。

クレイム・データ・ワラントが全部揃《そろ》った記事であることは、トゥールミンモデルを学んでいるあなたにとってみれば、格好のテキストである。

また、その1セットが揃って筋の良い仮説が成り立つので、仮説とは何かを私たちに教えてくれる記事でもある。

そのほかに興味深い点は、網かけをした異論があった点についてである。「仮説ではないか」、という反論があったことが書かれている。記事の成り行きや文字数など、文章上の制約があることを察するのであるが、「仮説ではないか」という反論自体が反論足りえないことは容易に理解できるはずだ。

▲

反論するのであれば、高橋氏のデータやワラントを攻撃するべきで、高橋氏の仮説を崩す反論をしなければ、有効かつ効果的でないことは火を見るより明らかである。

ここでの反論の一例としては、「新型コロナウイルスは毒性が弱くなく、強いものである」といったワラントをもとに、反論を加えていくべきであろう。

最後に、高橋氏の反論内容について触れておく。

明治時代の国民病であった「脚気《かっけ》」の例を出し反論している。先に紹介した5つのワラントのパターン4「類推」を適用しながら、仮説を柔軟に捉えた主張の展開をしている。

ただし、この「脚気」の類推に対しては、何か違和感を、何か説得力がないように感じる人も中にはいるはずだ。

たとえば、

・明治時代と現代の病気を比べていること。

・脚気とコロナの、世界的にみた被害の大きさの違い。

このあたりを、ポイントに高橋氏の類推に反論を加えていくことは可能である。

とはいえ、脚気は現代では、ビタミンB_1（チアミン）の欠乏症として捉えられているが、

▲

記事にあるように、当時は、伝染病などの細菌による病気という仮説が主流であった。

栄養か細菌か。全く違うアプローチから、実際にあった仮説のぶつかり合いがあり、その間、多くの人が亡くなった事実を私たちは忘れてはならない。

最後に、例題①〜③を通して学んだワラントの重要性をまとめる。

例題①では、ワラントを通して、価値観や美学といった「その人固有の哲学」まで、見て取れることを理解してもらえたと思う。

例題②では、人生相談ひとつとっても、ワラントを浮き彫りにすることで、**回答者の真意がわかり、味わい深くなること**を理解してもらえたと思う。

例題③では、新聞や雑誌を通して、**クレイム・データ・ワラントすべてが揃って書かれている良質な記事に当たることの重要性**を理解してもらえたと思う。

これら3例題のワラントを通して、あなたは自分が主張したり、議論する際の格好のお手本として真似るべきである。「模倣せずして、上達なし」なのである。

column《コラム》【論理に感情を乗せる伝え方❸目線】

伏し目がちだったり、顔が下に向いていたりすると、相手には自信がないように見える。能という伝統芸能を見ればよくわかるのだが、能面をかぶった顔を上に上げるだけで明るく見える。逆に、かぶった顔を下に傾けると暗く悲しげな表情に見える。

そのように、顔の上下の角度・動きは、相手に大きな影響を与えるものだ。

そして、「目」の見つめ方や使い方ほど、とても難しく、奥深いものはないとも私は考えている。

いつも柔和な目、人を見下している目、おびえている目、人に猜疑心《さいぎしん》を持っている目、熱意のある目、そして、今回の主題である堂々と自信を持っている目。目は口ほどにものを言う、といった所以《ゆえん》がこれらのような目つきと連動している。

だから、自信があるように見てもらうためにも、顔を上げたら、相手の目をしっかり見つめ、コネクト（つながり）を感じ取ってほしいのだ。

「アイコネクト」とは、アメリカのカリスマ・スピーキングコーチであるジェリー・

ワイズマンの造語である。私自身、一般的に知られている「アイコンタクト」という言葉より、視線の意味合いをより厳格にしているため、この用語のほうがしっくり来る。あなたも、アイコンタクトよりアイコネクトを使い、体感してもらいたい。

アイコネクトは、「あなたが誰かと話すとき、相手があなたを認識し、相手があなたに反応を返してきたと感じるまで、相手を見続ける」という、視線の意味合いの厳格化という意味である。

相手とのコネクト（つながり）を感じ、コネクトした瞬間、すなわち相手とつながった瞬間を感じながら、相手の目をまっすぐ見つめる。そして、相手との心や信頼のコネクト（つながり）を築くことをイメージしながら、話を進めていってほしい。

アイコネクトをするにあたって、２つのポイントを意識してほしい。

①自分の鼻筋を意識し、相手の顔にしっかりと向き合わせる。
②相手のどちらかの目の一点を、自分の両目で見つめる。

①の鼻筋はあなたの体の軸そのもので、鼻筋が軸だからこそ、それを意識すること

で相手と自然に正面から向き合うことができるようになる。

同時に、相手に伝わる真剣さが増すものである。「斜に構える」という言葉があるが、姿勢が悪く、正面から向き合おうとしない相手は、不誠実であると感じたり、尊大だと感じるものである。

②は、どうしてもアイコネクトがうまくできない、苦手意識が消えない人に、以前、私がアドバイスした具体的な方法である。その人は、自分の両目を相手の両目に合わせようとするため、目がキョロキョロして、挙動不審になっていた。さらに、目を動かし続けているため、とても疲れてしまっていたそうである。

自分と相手との顔の大きさは違うし、右目と左目の距離も人それぞれだ。だから、自分の両目を相手のどちらかの目に合わせることで、相手は自分のことをちゃんと見てくれていると認識してくれるものである。また一点を見つめるからこそ、ブレない一貫した、強い眼差しを送ることができる。

アイコネクトすることで、一体どれくらい素晴らしい効果を実感できるのか。話し手に7分間のスピーチをさせ、その間の話し手の聞き手に対する注視率を変えてみる、という実験がなされた。

その結果、話し手の聞き手に対する注視率が高いほど、聞き手は話し手に対して、より博識な人・経験豊富な人・誠実な人・親切な人であるという判定を下すことがわかった。

あなたが、相手にアイコネクトをしている時間が長ければ、あなたに対する印象がこれほど劇的に良くなるのだ。

言ってしまえば、たったこれだけのこと。人生、あたりまえのことを愚直にやっている人が、何事にも美酒にありつけるものだ。

あなたが自信を持っているように見えるためにも、まずは相手をしっかり見ること。それだけで、劇的な効果が生まれる。

第3章

〝より説得力のある最適解〟が見つかる3つのテクニック

あなたを論理競技者レベルに成長させる上級技

より完ぺきな最適解を見つける3つの上級テクニック

改めて、イギリスの哲学者スティーヴン・トゥールミンが著書『The Uses of Argument』で提示した、議論の分析の枠組みが、トゥールミンモデル（トゥールミンの議論モデル）である。

トゥールミンモデルを使いこなすことで、あなたはあらゆる問題、悩みの最適解を見つけることができる。

つまり、メリットがある、論理的な答えを見つけ出せるのだ。正解がない大人の世界では、この答えこそ最良の答えである。

このトゥールミンモデルをマスターしようというのが、本書のゴールだ。

このモデルは、実は6つの構成要素から成り立っている。ここまでは、基本となる3構成要素を説明してきた。

それが、クレイム（主張・結論）、データ（事実）、ワラント（論拠・隠れた理由）だ。

▲

それら基本3要素以外にも、トゥールミンモデルを構成する3つの要素がある。3つの上級テクニックと言ってもいい。

それは、「リザベーション」(保留条件・例外)、「クオリファイアー」(限定・制限)、「バッキング」(強化)である。

これらを理解することで、トゥールミンモデルの全貌《ぜんぼう》を知ることができる。さらに強力な最適解を見つけることができるのだ。

ひとつずつ説明していく。

▽リザベーション(保留条件・例外)

リザベーションとは、クレイムに対する「反駁《はんばく》」や「例外」のことである。

反駁という言葉は一般的にあまり聞きなれない言葉だと思うが、ディベートではよく使われる言葉だ。

反駁とは、次のような意味である。

「他人の意見に反対し、その非を論じ攻撃すること。他より受けた非難攻撃に対して、逆に論じ返すこと」

▲

反駁とは、「反論の応酬」と言い換えるとわかりやすい。

具体的には、相手のクレイムに対し、そのデータやワラントが有効ではない（成立しない）ことを説明して反論でたたみかけることである。

こういう具合に、相手のデータやワラントをリザベーションで切り返すことができれば、とても良い反論ができるのである。

反論ができるということは、情報にダマされない力を持つということだ。最適解をつくるうえでは、必要な力である。

クレイム・データ・ワラントと並ん

情報にダマされないためのリザベーション

リザベーションとは？

相手のデータやワラントが
有効ではないことを説明すること。

保留のリザベーション

「もし、〇〇でなければ」というような、
決定を延ばしたり、止めるための表現。

例外のリザベーション

「〇〇は当てはまらない」というような、
適用できない状態を表現する。

▲

で、このリザベーションを含んだ4つを主要構成要素とするべきだと私自身は考えている。

それでは、具体例を紹介する。

たとえば、「持ち家にすべきか、賃貸住宅にすべきか？」というテーマで考えてみる。

持ち家派は、

データ：ローンを支払えば自分の財産になるから。

ワラント：（賃貸の家賃と比べ）自分の財産になるので、払い損がない。

このような展開に対し、リザベーションでは保留条件や例外を示すことで、相手のデータやワラントに揺さぶりをかけ、反論ができる。

▲

「もし、○○でなければ」とチェックしてみよう！

▽**持ち家派のデータやワラントへの保留条件（リザベーション）とは？**

この場合コツがあって、英語の unless（「もし、○○でなければ」）と考えてみてほしい。「もし、○○でなければ」は、保留条件を表現する方程式である。

リザベーション：もしも自分の会社が倒産しなければ。

こちらの本意は、
「そんな長い期間、毎月ならびにボーナスで返済できる保証はない」
ということだ。ゆえに、このような保留条件を突きつけることに意味がある。

▲

「○○は当てはまらない」という例外の明確化

▽持ち家派のデータやワラントへの例外（リザベーション）とは？

相手のクレイム自体を弱め、否定してしまう可能性のある例外事項を示すことも、リザベーションだ。

ここでのコツは、例外という字面通りであるが、「○○は当てはまらない」といった〝適用できない状態〟を表現することである。

逆算的に考えてみる。たとえば、持ち家派が言っている「払い損がない」に注目してみよう。

「○○は当てはまらない」という方程式から考えてみる。

「払い損がないとは言えない」とか「払い損になる」という結論から考えてみると、簡単にリザベーションが思い浮かぶ。

この場合で言えば、

▲

「これからの少子高齢化社会である日本では不動産価格が大幅に下落することで、払い損になる可能性は高い」

といった例外のリザベーションを用意できる。

もうひとつ例を出そう。

クレイム：（日本において）米の価格が上がるだろう。

データ：生産量1位の新潟県に台風○号が直撃し、米の70％が収穫できなくなったから。

という議論があったとする。

ちなみに、この例のように、作物（他で言えば、じゃがいも・キャベツ・なす・にんじん・ブロッコリー・かぼちゃ・ねぎ・大豆・トマト・ほうれん草・里いも等）と自然災害との関連による不作や価格高騰《こうとう》は、日常に直結している分、リザベーションの訓練には持ってこいだ。

▲

では、このクレイムを弱めるため、どのようなリザベーション（例外事項）で反駁を試みればいいのだろうか。

ここでは、例外を考える際に役立つ視点を教授する。

私が考え出した「キャストライトアップ」という考え方である。

問題分析をするにあたって、どんな「登場人物」がいるかを列挙する。

そして、それぞれの登場人物にとってのメリット（良いこと・嬉しいこと）やデメリット（悪いこと・悲しいこと）を顕在化させる。

この思考ツールを使うことで、その問題を取り巻く環境や人物、事柄を、多角的かつ、俯瞰《ふかん》的にあぶり出すことができ、その問題の本質をえぐることができる。

では、キャストライトアップを念頭に置きながら、もう一度考えていこう。

クレイム：米の価格が上がるだろう。

データ：生産量1位の新潟県に台風○号が直撃し、米の70％が収穫できなくなったから。

という議論で、**「米の価格は上がらない」**といったリザベーションを考える場合、どのようなキャストが登場するだろうか。

この場合、あなたが地球儀を見ながら、地球を俯瞰しているような感じで、考えてみるとわかりやすい。

▲

【キャスト1】海外から米を輸入する場合に登場する国

世界における米の生産量ベスト10（順位　国名　生産量〈トン〉）

順位	国名	生産量〈トン〉
1	中華人民共和国（中国）	2億1212万9000
2	インド	1億7258万
3	インドネシア	8303万7000
4	バングラデシュ	5641万7319
5	ベトナム	4404万6250
6	タイ	3219万2087
7	ミャンマー	2541万8142
8	フィリピン	1906万6094
9	ブラジル	1174万9192
10	パキスタン	1080万2949

FAO（国連食料農業機関〈2018年〉）

13　日本　972万7500

ただし、このリザベーションが完全なわけではない。

「米の価格は上がるだろう」というクレイムに対し、相手が「海外から米を輸入する」という一見効果的に見えるリザベーションを用意しているかもしれない。冷静に考える必要がある。

リザベーション返しとして、次のような反論ができる。

▲

「日本で流通している米は、ジャポニカ米であるが、世界の米生産量でみるとその割合は2割程度しかない。ゆえに、ジャポニカ米の輸入量は限られている」

【キャスト2】国内・他県の米で十分にまかなえる場合に登場する県

米の生産量上位10道県【農林水産省「令和元年産水陸稲《すいりくとう》の収穫量」】〈トン〉

1　新潟県　64万6100

2　北海道　58万8100

3	秋田県	52万6800
4	山形県	40万4400
5	宮城県	37万6900
6	福島県	36万8500
7	茨城県	34万4200
8	栃木県	31万1400
9	千葉県	28万9000
10	青森県	8万2200

【キャスト3】日本国民

キャスト3で、国民を登場させた場合、「国民の何に影響を与えることで、価格は上がらないのか」を考える必要がある。

その場合、国民がどの程度消費するのか（消費量）というポイントと、消費動向という点の2点をあぶり出すとわかりやすい。

▲

一番いい答え

▲

国民の消費量の観点から、リザベーションを考えてみると、こうなる。

「日本国民の米の消費量は年々、劇的に減っている。（需要と供給のバランスから、現在では米の価格は上がらない）」

国民の消費動向から考えると、

「（仮に米の価格が上がるのであれば、）消費者である国民は買い控える」

こういった具合に、ここではキャストとして、

- 海外
- 他県
- 国民（国民から枝分かれした、消費量と消費動向の２つも登場）

を登場させた。多角的な視野から反論する、リザベーションの醍醐味を感じてもらえたと思う。

リザベーションこそ、〝反論の華〟である。

▲

リザベーションにおいて、保留条件を使うか、例外を使うかの選択は、**相手のクレイムへの反論を効果的に展開できるほうにすればいい。**

あなたが考えやすいほうからアプローチすることで、リザベーションを仕掛けてみてほしい。

判断に迷いがなくなる キャストライトアップ思考法

キャストライトアップの思考法は、先に出した国や地域や国民だけでなく、「ヒト・モノ・カネ・情報・時間」を登場させられる。

たとえば、あなたがその会社を選ぶべきか、商品を買うべきか否かといった、何かを判断する際に、現状を整理するために非常に役に立つ。

キャストライトアップの応用版と言えるこのテクニックを使いこなしてほしい。

「○○金融機関（銀行、証券など）にお金を預けるべきか否か」というテーマで考えてみよう。

▽人

・金融機関に勤めている職員は、ファイナンシャルプランニングの知識をよく知っているか。
・顧客へのアフターフォローはどうなっているか。
・受付窓口の対応はスムーズで丁寧か。

▽モノ

・立地は良いか。
・支店網は全国に展開しているか、地域に特化しているか、それともネットのみで無店舗型か。
・金融機関の店舗の雰囲気は良いか。
・その金融機関の商品ラインナップは充実しているか。
・商品の仕組みは、消費者にとってお得か。

▲

一番いい答え

▲

▽金

- 利率や利回りは他の金融機関と比べ、良いか。
- 金融機関の財務状況はどうなっているか。

▽情報

- 格付け会社の評価は?
- 経済新聞や経済誌（マネー雑誌など）の評価は?
- ネットでの金融機関の評判・口コミは?

▽時間

- どのくらいの期間、預ける商品なのか。
- その金融機関は、（時間的に）行きやすい場所にあるか。
- どのような歴史がある金融機関なのか。

このように、キャストライトアップは、応用して使うことができるので、ぜひ試してほしい。

トゥールミンモデルにおけるワラントにしろ、このキャストライトアップにしろ、今まで見えていなかったことが見えるようになるのが、これら思考ツールのすごさである。

多くの人にとって見えないものが、あなただけには見える。あなたは、あたかも透明人間の正体を知っている、数少ない人になりえるということだ。

だからこそ、このキャストライトアップをさまざまなシチュエーションで考え、その都度この本に立ち返って反復し、マスターしてもらいたい。

▲

答えの精度を１００％に近づける「説得力数値化」の技術

あなたは主張（クレイム）する際、そのクレイムの説得力の度合いを客観的に考えているだろうか。クオリファイアーという、トゥールミンモデルの構成要素を使うこ

▲

とで、あなたの主張、結論に説得力があるかどうかの度合いを知ることができる。

すべてのクレイムが、100%の絶対的真実であることを、証明するのは難しく、むしろ、証明できるのは稀《まれ》である。

だからこそ、このクオリファイアーを示すことで、**クレイムにおける説得力の強さの度合いを他者に対してはもちろんのこと、自分自身でも確認できる。**

この度合いを示すには、次の英単語を思い浮かべることが有効だ。説得力の強さの度合いを測る5段階を表現できるようになる。


【クオリファイアー（説得力の5段階強度）】

1段階 100%を示す「絶対に／絶対的な真実」 certainty（サーティニティ）
2段階 60~80%程度の「確かに／十分な信頼性」 probability（プロバビリティ）
3段階 30%程度の「たぶん／それらしい」 plausibility（プローザビリティ）
4段階 10%以下の「きっと／可能性がある」 possibility（ポシビリティ）
5段階 「全く可能性がない」 never（ネバー）

▲

説得力の度合いを表現している英単語で、その信憑性を数字で表現しようとすることに、斬新《ざんしん》さがあると思う。

クレイムとデータを結びつける、懸け橋となる確率の違いによって、これらクオリファイアーを厳密に使いこなす必要がある。

とりわけ、クレイムを展開する側は、データから導いた際のクオリファイアーを明確に表さないことが多い。

「私は彼と結婚すべきか」というテーマを考えてみよう。

データ：彼はとてもやさしいから。
クレイム：私は彼と結婚すべきだ。

この際、このデータとクレイムを結びつけるクオリファイアーを考えてみるとわかりやすい。

1段階の絶対的真実と言えるだろうか。結婚すれば、楽しいことはもちろんだが、精神的にも肉体的にも経済的にもいろいろな困難が待ち受けているのが人生である。

やさしさがあるから、結婚するといっても、「相手の経済力は?」とか「価値観は?」といったことも考えれば、1段階とは言い切れないのではないか。

▲

やはり、この場合、2段階くらいの強度が適当だ。

そうなると、結婚すべきではないと考えた側は、批判をするため相手の60~80%の強度の逆である、20~40%のゆらぎ(つまり、クレイムの弱い部分)を攻撃することになる。

このように、そのデータをもって、どのくらいの強度でそのクレイムを言えるのか、と吟味すると、このクオリファイアーの味がよりよく出てくる。

もちろん、あなたがクレイムを発言するときも、相手に突かれないよう、自分の説得力の強度を常に意識しておく必要がある。

▲

最上級の根拠が見つかるバッキングとは？

バッキングとは、ワラントを強化する理由や資料のことである。

先にリザベーションの箇所で考えた、持ち家にすべきか、賃貸住宅にすべきか？

というテーマだと、

持ち家派は、

データ：ローンを支払えば自分の財産になるから。

ワラント：（賃貸の家賃と比べ）自分の財産になるので、払い損がない。

となった。このワラントを強化する理由や資料がバッキングである。

たとえば、次のようなバッキングとしてみる。

▲

「お金を貸す側である銀行は、払えるか否かをさまざまな観点から審査しているから、払い続けられる可能性が極めて高い。

また、万が一、借り手が亡くなった場合、団体信用生命保険で銀行はもちろん保険で弁済され、また借り手の負債も清算される」


だから、「払い損がない」というワラントは、このバッキングでより強化される。

隠れた理由であるワラントさえも、浮き彫りにするトゥールミンモデル。

そして、クレイムを強固にしていくためのクオリファイアー、ワラントをより強固にするバッキングの存在。

トゥールミンモデルの深さ、そして、議論を一刀両断していく怖さを、このバッキングという構成要素から、私は常に感じている。

column《コラム》【論理に感情を乗せる伝え方❹アイコネクトトレーニング】

先のコラムで紹介した「アイコネクト」をマスターするためのトレーニングとして、3つのステップを踏んでみるといい。

◆ステップ① 60秒目をそらさない

60秒、目をそらさずに相手の目を見続けてみる。そして、その際、相手とのつながり（コネクト）を感じ取ってもらいたい。あなたのことをよく知っている、わかっている人と練習してみていただきたい。

60秒はもちろんのこと、これだけの練習を30秒するだけでもかなり長いと感じる。人間のおもしろいところは、時間を意識すると必ず長く感じることである。逆に、時間よりもその行為に集中することで、時間はあっという間に過ぎ去るもの。

そこを利用して、しっかりと見つめ、相手の心とあたかもつながっている感覚を味わうため、アイコネクトの行為に集中してほしい。

◆ステップ②　鏡を使う

このステップでは、鏡を利用する。自分を客観的に見ることができるツールは、高いレベルで伝えるためのプレゼンや議論には必須であると考えている。

ひとりで鏡を見ながら、喜怒哀楽を目で表現してほしい。喜んでいる（嬉しい・楽しい）ときの目、怒っているときの目、悲しいときの目をしてみてほしい。そして、今度は、真面目な目、素直な目、情熱的な目、寂しげな目を表現してもらいたい。

鏡を使いひとりで表現し終わったら、ステップ①でつき合ってくれたあなたのバディ（相棒）に、喜怒哀楽から寂しげな目までを表現して見せ、お互いに意見・感想を交換し合ってもらいたい。

このように、まずは自分で客観視、そして他者チェックをすることは、とても密度の濃い事前トレーニング、リハーサルとなる。

また、今挙げた目の表情以外にも、いろいろなシチュエーションはあると思う。誠実な目だとか、笑いがこらえきれない目といった局面もお互いに出し合ってみると、よりバリエーションが増えるはずだ。

ウイルスや感染症までも注意しなければならない現代、マスクをつけることが多いからこそ、目の表現、アイコネクトの重要性はますます増してくると私は考えている。

◆ステップ③　場数を踏む

最後に、アイコネクトを実際の現場で使いこなすために、「場数を多く踏む」という意気込みを持つことである。

その場数に、多くの失敗は織り込み済みである。そうやって積み重ね、こなれてくることで、どんなタイプの人間と接したとしても、ひるむことのない堂々と対処できる勇気が養われるのである。

第4章

〝具体と抽象を行き来する〟スイング思考で頭がいい選択をする

自分独自の哲学が、さらに「最適解の信頼性」を高める

▲

頭がいい人のスイング思考とは？
——「具体」と「抽象」を行ったり来たりする

トゥールミンモデルをつくり上げるには、物事の基本知識や、それにまつわる言葉の意味を厳密に捉えておく必要がある。

現代日本では、基本知識や言葉の本義をないがしろにしている風潮があると私は感じている。

だからこそ、基礎知識や言葉の意味を確認するきっかけとして、このトゥールミンモデルを学ぶことは、日本人の知的水準の向上に寄与すると確信している。

そこで、日常で頻繁《ひんぱん》に使われている「抽象とは？」「具体とは？」の意味からこの項目を始めていきたい。

「抽象」とは多数の事物《じぶつ》（多数の事柄や物）や表象（象徴やシンボルといった意味）から、共通の側面や性質を引き出すことである。「抽」という字には、「抜き取る」

▲

「引っ張り出す」という意味がある。

一方、「具体」とは形態と内容を備え、はっきりと感覚で認識できるというのが本来の意味である。

これらをかみ砕いて言えば、**「抽象」はわかりづらいもの、「具体」はわかりやすいものと言える。**

この「抽象」と「具体」がトゥールミンモデルにどのように関わってくるか、ここまで読んで勉強してくれたあなたなら、わかってもらえているのではないか。

それは、クレイムが「抽象」的であり、データやワラントが「具体」的な範疇《はんちゅう》に属する構成要素であるということだ。

クレイム・データ・ワラントの三位一体をもって、全体がわかりやすく明確になればいいのである。

クレイムは主張であるので、できるだけ単刀直入なほうがシンプルになるし、相手に伝わりやすく、理解されやすい。ゆえに、どちらかというと「抽象」的だと言える。

私が言いたいのは、「抽象と具体はセットで考えよ」ということだ。それは「トゥー

▲

ルミンモデル全体で考えよ」という意味となる。

具体的なものばかり羅列《られつ》すると、言いたいことや文字数は自然と多くなる。そうすると、あなたがつくり上げる最適解が不明確になる。

もし、プレゼンなど相手がある場面で、あなたの主張を聞いた人は「とどのつまり、何を言いたいの？」と思うものだ。あなた自身も「言いたいことはなんだっけ。まとまらないな」となるのがオチである。

一方、抽象的なことばかり羅列すると、相手は「わかりやすく言えばどういうことなの？」とフラストレーションが溜まってしまう。

あなた自身、抽象的なことばかり発していると、わかりやすい話ができなくなる。

あなたの周りにひとりはいるであろう、小難しい話をしている人々を思い出せば合点がゆくのではなかろうか。

▽「ロジカル・ツリー」「帰納《きのう》と演繹《えんえき》」を使いこなそう

抽象と具体をセットで一対で考え、常に抽象から具体へ、具体から抽象へと考えてもらうため、私は「抽象と具体のスイング思考」の重要性を昔から説いている。

▲

これこそ、私が長年ディベートを学んで、日常生活やビジネスシーンに使える一番大事な核心であると感じている。

それは、制限時間内でディベートの試合をしていると、相手が言ってきた一つひとつの具体的事実（データ）に対して、「要するに」「一言で言えば」と常に抽象化する思考をしなければならないからである。

具体的な事実に対する反証をする際、相手の一つひとつの具体的事実につき合っていては、包括的かつ効果的な反論は期待できなく、相手の術中にはまり、こちらの時間はどんどん奪われてしまう。これは、自分ひとりで、最適解を探すときも同じことである。

だからといってコンパクトではあるけれど、抽象概念ばかりを話していては、対戦相手から常に「具体的にはどういうことなのか」と追及され続ける。

ついては、その試合の審判（ジャッジ）や観客（オーディエンス）にもわかってもらえず、支持されず、試合で敗北を喫することになる。

というのも、ディベートの試合では、観客を説得するために議論をやり取りする。

そのため抽象語の羅列だけでは観客にわかりづらく、理解させにくく、ひいては判定さえも困難になるケースに陥《おちい》ってしまうからだ。

では、「抽象と具体のスイング思考」をするために、どのような方法を取ればよいのか。

それには、「ロジカル・ツリー」と、「帰納法《きのうほう》と演繹法《えんえきほう》を使いこなす」という2つの方法がある。

「ロジカル・ツリー」と「帰納法と演繹法」はセットで考えてもらうことで、よりよく理解できるので、まずはロジカル・ツリーをしっかりと学んでもらいたい。

▲

ロジカル・ツリーで〝悩みを分解〟して解決策を見つける

では、ロジカル・ツリーについて説明する。

ロジカル・ツリーとは、自分が抱えている悩み、問題を分解して整理し、解決策を見つけるためのツールだ。

たとえば、多くの営業パーソンが常に考えている「営業成績を向上させるには」というテーマに即して、ロジカル・ツリーを解説する。

▲

「どうすれば営業成績が向上するのか？」ということを解決するロジカル・ツリーは次の通りである（下図）。

方法論として、１－１**「顧客数を増やす」**ことと、１－２**「顧客単価を上げる」**ことが考えられる。これらは営業の肝である２大ポイントだ。

では、顧客数を増やすには、どうすればよいのか。

たとえば、図の１－１－１**「新規顧客の開拓」**と、１－１－２**「既契約者へのメンテナンス」**が挙げられる。とりわけ、１－１－２では、既契約者を定期的にフォローすることで、ビジネスチャン

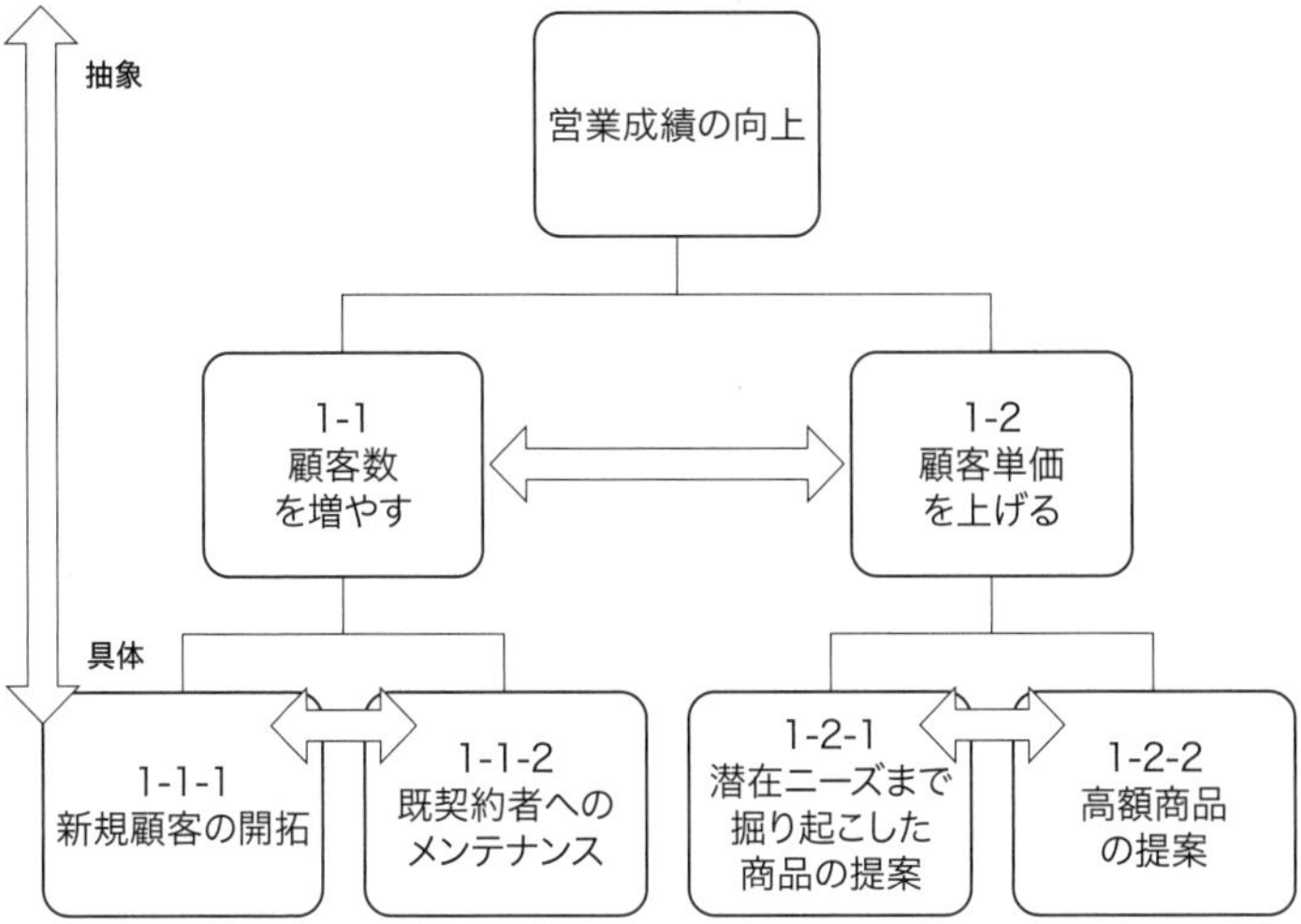

▲

スがあることを示唆《しさ》している。

具体的に言えば、契約後1年ごとに訪問することで、そのときに不足していたり、壊れたりしていないかをチェックする。それをきっかけに何かしら商品を提供するチャンスが生まれるということだ。

車の車検は、定期的に2年に1回（初回は、3年に1回）はあるので、これと比べるとわかりやすい。

一方で、顧客単価を上げるためには、1-2-1**「顧客の潜在ニーズまで掘り起こした商品の提案」**が挙げられる。これは、顧客の置かれている現状を的確に見つめ、分析することで得られるチャンスである。

たとえば、金融商品で考えてみる。今は定期積立しかしていない顧客に対し、老後になってからの生活費・医療費・介護費を考えてもらうなどして、顧客が気づいていない潜在的ニーズを掘り起こしてあげる。

そうすることで、契約のボリュームを大きくしていこうという算段である。

たとえば、「株式投資や変額年金保険を提案する」ことで、定年である65歳までに貯めなければならないお金（潜在的ニーズ）を、より明確にイメージしてもらうということだ。

他に顧客単価を上げるために、１－２－２「高額商品の提案」をすることが挙げられる。

そのために、この下の階層のツリーで「ウエルネス（富裕層）マーケットを開拓していく」だとか「個人ではなく、法人を開拓していく」という項目が出てくる。

▽ツリーの上位は「抽象」、下位は「具体」

このようにロジカル・ツリーとは、「どうすれば○○ができるか？」を、因果関係に基づき連鎖的に考えていくことができる思考ツールである。

ツリーの上位項目は抽象的な概念が配置され、下位に行けば行くほど、より具体的になっていくのがロジカル・ツリーの特徴である。

ロジカル・ツリーを作成する際、気を付けなければならない点は、「漏れなくダブりなく」ＭＥＣＥ（ミーシー）ということ。ＭＥＣＥとは、「Mutually Exclusive, Collectively Exhaustive」の略だ。

各ツリーの項目を形成しなければならないということである。わかりやすく言えば、

▲

各項目が独立していなければならない。

1－1と1－2を見ればわかるように、「顧客数を増やす」ことと「顧客単価を上げる」ことは、内容的に見て、それぞれが漏れなくダブりなく独立している概念であるということだ。

このようにロジカル・ツリーは、図を見ればわかるように、上下に抽象と具体の振り子をスイングしてみて、かつ左右に漏れやダブりがないように振り子を振ることで、〝あなたが考える見取り図〟が出来上がるということだ。

この思考の見取り図があってはじめて、あなたの思考は明確になり、わかりやすい話ができるようになる。

さまざまな問題に対し、ロジカル・ツリーに基づいた「どうすれば？」といった自問自答をしてもらいたい。

▲

下から上が「帰納」、上から下が「演繹」

トゥールミンモデルを使いこなすために、帰納法と演繹法を使いこなせるようになってほしい。

帰納法（インダクション/induction）とは、**個々の具体的事実から一般的な命題ないし法則を導き出すこと**である。

一方、演繹法（ディダクション/deduction）とは、**一定の前提から論理規則に基づいて必然的に結論を導き出すこと**である。通常は、普遍的命題(公理)から個別的命題(定理）を導く形をとるという意味である。

英語をあえて載せたのは、英語の接頭語・接尾語などから言葉の意味を捉えやすくなることが多いことからだ。

ductという接尾語には、「導く」という意味がある。

冷暖房・換気・排気などのための空気の通路となる導管が、ダクトということを思い出してみるとわかりやすい。

帰納法であるインダクションは、内（in／個々の具体的事実）から（法則）を導き出すこと。

一方で演繹法であるディダクションは、普遍的命題から下（de）に（個別的命題を）導き出すことである。

▲

先ほどのロジカル・ツリーを再度見てほしい。**帰納法的思考というのは、ツリーの下から上に、つまり具体から抽象に考えていくプロセス**である。

- 「顧客数を増やす」ことは、一言でいえば何を意味するのか。
- 「顧客単価を上げる」ことは、端的に言えば何を意味するのか。

これらの答えが、ツリーの上位にある「営業成績の向上」であり、これこそが帰納法的思考のことである。

別の言い方をすれば、「顧客数を増やす」ことが手段であり、「営業成績の向上」が目的である。

帰納法的思考では、具体的なことについて常に「一言で言えば」「端的に言えば」と

▲

いった問いかけをするとよい。そこを意識しながら、ロジカル・ツリーを自分の手で書いてもらいたい。

一方で演繹法的思考は、**ロジカル・ツリーの上から下に、抽象から具体を考えていくプロセス**である。

「営業成績をアップさせるためには、何をすればいいの？」という問いを重ねていくことになる。

ロジカル・ツリーで書いた内容の順番が、まさしく演繹法的思考である。演繹法的思考では、「（具体的に）何をすればいいの？」というフレーズを自分に問いながら考えてほしい。

最後にまとめると、帰納法的思考と演繹法的思考を振り子のようにスイングさせながら、自分が今「何を考え」「何を話さねばならないか」を、常に自問自答してもらいたい。

ロジカル・ツリーで書いた下位にある「【高額商品の提案（1-2-2）】とは具体的

には？」と突き詰めていくような具合にだ。

ただ下位に行けば行くほど、具体的ではあるが細かい話になっていく。

そうすると、「営業成績の向上」のためには、というこのテーマのスタート地点が見えなくなる。

このようなときこそ、振り子をスイングさせて必ず「何がこのテーマのスタートだったか」ということに立ち戻るのが基本である。

会社の会議など、ここが忘れがちになっていて、枝葉末節《しようまっせつ》にこだわる議論になることが多々見受けられる。

だからこそ、議事進行を縦横無尽に遂行するファシリテーターのような存在は重要だ。

ロジカル・ツリーをホワイトボードに書くなどして、制限時間内でスタートに立ち戻ったり、具体的な議論を展開したりといったさじ加減が大いに必要である。

このようなことに留意して、知的生産性を、あなたのみならず、あなたのチームも効率的にアップさせてもらいたい。

▲

一貫性と基本スタンスが「あなたの答え」を支える

あなたの言いたいことが一貫していなければ、その考えは論理的に弱くなり、ひいては導き出した最適解そのものの信頼性も揺らぎかねない。

たとえば、上司が「今期は売上を倍増（200％）する」という目標を立てながら、朝令暮改《ちょうれいぼかい》で「いや、110％増の目標で十分だ」と言ってしまえば、部下は何を信じていいかわからなくなる。

だからこそ、話の一貫性を持たせるためには、「哲学」が必要である。「哲学」とは、**「全体を貫く基本的な考え方・思想」**のことである。いわば、思考の「基本的スタンス」であり、「拠り所」という意味になる。

哲学をトゥールミンモデルで考えると、各テーマにおける一つひとつのワラントの集積、積み重ねが哲学になると私は考えている。

▲

「転職すべきは、A社かB社かC社か」というテーマを考える。

データとして、

- A社は実績に応じた年俸制であるから
- B社は終身雇用制であるから
- C社は創業まもなくだが、成長性のある業界の会社であるから

といったデータがある場合、あなたはどのデータを採用し、どこに転職すればいいのか。

それは、**あなたが何を重んじ、何を大事にしているかといった価値観、つまり、トゥールミンモデルで言う、ワラントが重要になる。**

この転職問題を考えるにあたっては、ここに書いた以外のデータももちろん存在する。そのような数々のデータの裏にあるワラントの集積こそ、あなたの哲学ということだ。

この転職問題を考えるときに、哲学は重要だ。

▲

哲学をつくる上で大事なポイントの話をする。

それは、「具体と抽象のスイング思考」を駆使することであり、具体的に言えば、帰納法的思考を実践することである。

たとえば、

- 市場環境は昨年に比べ、厳しいものになっている。
- 業界平均の売上伸長率は、前年比１０５％が平均値である。
- 現在、業界１位の社員数というマンパワーをフル活用する。

といった、自社に関連した一つひとつの事実を拾い出す。

それらを抽象化すると、「一言で言えば」という主張や考え（この場合では解決策）を抽出できる。

そうすると、「当社は、今期売上を前年比１１０％増とすべし」という軸ができ、これがまさしく哲学となるのだ。

まとめると、ワラントの集積こそ、哲学である。また、さまざまな具体的事象（データ／事実）をひとまとめにするのが哲学である。それはあたかも〝扇の要《かなめ》〟であるのだ。

哲学をつくるシンプルな３手順

それでは、哲学をつくる手順を、帰納法的思考を用いた方法で紹介していこう。


【ステップ１】具体的事象（データ）を徹底的に情報収集する。

【ステップ２】そのデータ（具体的事象）を〝一言（抽象語）〟で表現してみる。

【ステップ３】最後に、その一言が一つひとつの情報を包み込んでいるかを再チェックしてみる。


以上、３つのステップを踏んで、哲学（軸）を構築してみてほしい。

たとえば、経営戦略の観点から、「わが社における今後の雇用制度のあり方」について、ステップを踏みながら哲学をつくってみる。

▲

▽ステップ1

収集すべき情報は、会社の現状（財務力、キャリア制度、福利厚生、退職金制度など）や理念（実力主義で人材登用していくなど）になる。

次に、新聞や業界紙から経済状況や他社動向を把握し、最後に厚生労働省などから出ている雇用などの統計・データから情報収集する。

▽ステップ2

収集した情報を基に、会社を取り巻く環境について「企業環境は産業の空洞化がますます進んでいくことで、国内での生産はとにかく高コストである」と結論を出す。

その際、会社に対する一言を「全社員正規雇用制度の破綻」という抽象語で括《くく》ってみる。

▽ステップ3

その一言であった「雇用制度の破綻」という言葉と、世の中の動向とズレがないか、もう一度自分が収集した情報に照らし合わせて確認してみる。

▲

以上が「哲学」のつくり方である。

会社の会議などで、哲学を発表すると次のようになるはずだ。

「私たちの会社を取り巻く環境は、とても厳しいものです。その結果、日本だけでビジネスを続けていくのか、否かの選択に迫られています。

仮にどちらを選択したにしろ、次の大きな問題にぶち当たります。それが『全社員正規雇用制度の破綻』です。

高コスト体質の企業では、早晩世界との競争に敗れ、この会社自体の破綻の問題になりかねません。

だからこそ、雇用制度の大転換をするのか、しないのかという今後のあり方を考えねばならないのです」

具体と抽象をスイングさせて、あなたが言いたい大きな哲学を構築してもらいたい。そうすれば言葉に魂が重しとなり、あなたの話に一貫性が生まれる。

より論理的で、より信頼性のある最適解は、スイング思考を使うことで見つかるのだ。

column《コラム》【論理に感情を乗せる伝え方❺手の動き】

自信がないように見える人は、ジェスチャーが間違いなく不足している。手の動きなどのジェスチャーがぎこちないと、私などはその人の言いたいことが頭に入ってこない。

そのぐらい、ジェスチャー（＝主に手の動き）が、相手（聞き手）に与えるインパクトは、自信の面からも理解度の面からも大きいことがよくわかる。

手の使い方次第で、相手の理解をより深くする効果があるということだ。それは、手の動きが単語を補う非言語的行動になることと、話の内容を描写するような役割があるからだ。

たとえば、「わが国のシェアは増えてきています」というときは、両手を、丸を描くように広げて表現してみる。

「業績が前年に比べて2倍になりました」というのなら、手を自分の頭より上に上げて、そのインパクトを表現してみせる。

「コストダウンしましょう」というのであれば、小さい子を手で押さえるよう、別の言い方であれば、「まぁまぁ」と人をなだめるような仕草をしてみるとよい。

手を動かし、それを鏡の前で試してみてほしい。

手の動きに関して、念頭に置いてもらいたい2つの大原則がある。

ひとつは、左右対称にすることを心がける。これを、シンメトリーの原則という。左右の釣合いがとれていると、相手に落ち着きや安心感を与えることができる。

シンメトリーが崩れる（アシンメトリー）と、先に書いたようにジェスチャーがぎこちなく見える。

2つ目は、手のジェスチャーは、あなたの情熱や想いをダイレクトに表現するという原則である。実際、あなたの周りにいる情熱的な人間や熱血漢と呼ばれる人は、間違いなく手の動きが大きいはずである。

これは、手を動かすだけで「熱意のある人」だと相手に思われることを意味している。手の動きを学ぶことで、「情熱のある人だ」と思われやすいのだから、学ばない手はない。

自信や情熱といった類のものは、このように魂がこもったアクションと連動していることがよくわかる。

第5章

情報にダマされない！「最上級の決断」を追究する質問法

一見〝正しそうな詭弁《きべん》〟を見破り、正確な情報のみで「あなたの意見を強める」

▲

この質問で自分の答えの〝弱い部分〟がなくなる

トゥールミンモデルは、質問にも使える。

自分が最適解をつくるときに、弱い部分がなくなるように、自分自身に質問してみる。

また、プレゼンなどの場面で相手がいる場合には、当然、相手に質問するのにも有効だ。

では、質問の意味・プロセスとは、どのようなものか。

ディベートの試合には、「反対尋問」というパートがある。

反対尋問とは、ディベートの試合において、相手に対して唯一質問ができるパートである。

双方がぶつかり合うことから、「反対尋問はディベートの華」と呼ばれる。それはもう大変な盛り上がりを見せ白熱するものだ。

私は、この反対尋問の訓練で質問の仕方を多く学び、質問力が大いに向上した。

最適解を探すときには、自分自身のロジックに質問を投げかけることが重要だ。

会議や商談の場面では、相手のクレイムに対して、的確に質問を投げかけることが重要である。

「質問」とは、「疑問または理由を問いただすこと」。

つまり、**自分の中から最適な回答を引き出すため、また、相手からの回答を引き出すために、質問力が必要不可欠**なのである。

あなたの頭の中でしっかり、自分自身や相手の「クレイムに対する疑問はないか？」や「クレイムが導き出された隠れた理由は一体なんなのだろう？」と考える行為が必要である。

では、私がトゥールミンモデルから学んだ質問の仕方・プロセスを具体的に伝授する。

トゥールミンモデルを利用すると、いとも簡単に効果的な質問を繰り出すことができるようになる。

一番いい答え

▲

効果的な質問は決まっている！

▽1　クレイムに対する質問法

クレイムがわかりづらかったら、「具体的には」と問う。

あまりに具体的すぎる場合には、「一言で言えば、何？」と問う。まさしく、「抽象と具体のスイング思考」を駆使してみる。

▽2　データに対する質問法

データに対し、そのデータの信憑性を問う。

▽3　ワラントに対する質問法

ワラントが隠れている場合には、「その論拠（ワラント）は何？」といった質問を投げかける。

▲

▽4　リザベーションに対する質問法

それが果たして本当に保留案件、例外なのか、そのメカニズムを具体的に問うて確認してみる。

▽5　クオリファイアーに対する質問法

クオリファイアーが隠れている場合には、そのデータから導き出されたクレイムはどのぐらいの説得力の強さの度合いなのかを問うてみる。

また、クオリファイアーが出ている場合、そのデータから「なぜ、その度合いが言えるのか？」を確認してみる。

▽6　バッキングに対する質問法

どうして、そのワラントが言えるのかを問うてみることで、バッキングがなんなのかを確認する。

ちなみに、3〜6を追求する質問ができる人は、タフネゴシエーター（手強い交渉人）

になれること間違いない。

これら6つの質問法を身につけることで、より良い最適解が見つかり、さらには説得・交渉さえ有利に運べるようにもなる。効果的な質問を投げかければ、あなたは核心に近づくことができる。

逆に、不適切な質問をすれば、相手は身構え、核心から遠ざかっていく。

そのために、トゥールミンモデルを活用した質問力を身につけてほしい。そうすれば、あなたの最適解をつくる力、説得力、交渉力に絶大な効果をもたらすことは間違いない。

▲

「完全にか？」「部分的にか？」、視点を切り替える大切さ

先にも述べたが、あなたが反論する際、リザベーションを使うことはとても効果的である。

これは、他者に対してもそうだし、あなたが情報収集をしながら著者、記者などの情報発信者の論調に反論するときにも効果的だ。

▲

ここでは、反論する場合に、**「相手の全部に反論するのか」**、それとも**「一部分に反論するのか」**で、やり方が違うことを知ってもらいたい。

その際、相手のクレイムの強さを見極めることがとても重要である。

少し話が横道にそれる。

私がいつも考えていることだが、〝生業《なりわい》を営む〟職種である営業の考え方は多くの日本人に学んでもらいたいと考えている。

わが国は、食料自給率がピカ一に高い国でもなく、また資源が潤沢にある国でもない。だからこそ、いろいろなものが売れる、力・技術を持つことこそ、日本人が生き残る道であると私は考えているからだ。

そのために、本書でも使う事例が営業のあり方や考え方であることを、ご容赦願いたい。

話を戻す。営業の考え方がよりよく学べる、次の事例を見てほしい。

Ａさん：営業成績が上がらないから、まずはクロージングの話法を見直そう。

▲

Bさん：クロージングを学んだところで、営業にはプロセスがあるのだから、そこだけを見直したって意味はない。

Aさん：クロージングと契約は直接に結びついているものだ。それくらい、一番大事なのがクロージングなんだよ。

Bさん：だから、そこだけをやっても意味がないって言ってるじゃん。その前段階の、お客様のそもそもの意向をしっかり聞き出しているのか、という点こそ重要なんだよ。

Aさん：いや、クロージングなき明日は迎えてはならない。それこそ、営業パーソンの宿命なんだから。

あなたの反論は、そのクレイムの強さによって「完全反論」となるのか、「部分反論」になるのか、2種類に分類できる。

相手のクレイムを100％否定するのが完全反論であり、相手のクレイムのある部分を反論していくのが部分反論である。

AさんとBさんのやりとりにあるような部分反論だけでは、いくらBさんが反論を

▲

重ねたところで意味がない。

というのも、「少なくとも、ある程度のメリットは残る」だとか「効果的に全部を否定されたわけではないので、私のクレイムのほうが強い」といった形で相手に逃げられたり、話が平行線を辿《たど》るのがオチだからだ。

こういう場合、いくつかの完全反論を考えて、反論していくことが定石となる。

たとえば、Ａさんが、

クレイム：営業成績が上がらない。

データ：クロージングの話法がうまくできていないから。

と述べたとする。データを真っ向から完全否定すると次のような反論になる。

「Ａさんの面談数は絶対的に少ない。まずはアプローチ数を確保することが営業成績改善の一番の近道なのだ」

▲

この反論は、クロージングではない、全く別の観点である前提そのものに切り込む反論である。前提を疑うという反論は極めて効果的なのだ。

また、次のような反論もできる。

「Aさんのクロージングは、ロールプレイングを見たところ、何ら問題はない。問題は、その前のプレゼンテーションがわかりにくいことだ」

この反論では、〝クロージングには問題が全くない〟という完全反論を展開する。そのうえで、セールスプロセスの他の段階（ここで言えば、前段階）にこそ、問題があることを指摘している。

これは、〝局面否定〟という私が考えた技である。

Aという局面に問題はない。問題があるのは、Bという局面にこそ存在する。

言ってみれば、これが公式である。これは、初めに挙げた例にも適用できる。

現状に問題があるのではない。前提条件にこそ、問題がある。

このような反論ができれば、相手に一見有利な議論の展開を１００％否定でき、完

▲

全反論となりえる。

最強の反論技「ターンアラウンド」

次に、完全反論以上の強力な反論である「ターンアラウンド」という技術を紹介する。

これは字面通り、相手のクレイムのメリット（デメリット）に対して、「実は、逆に悪いこと（良いこと）が起こる」と、相手のクレイムを逆の方向へひっくり返したり、逆効果を生むことを指摘するテクニックである。

先に、データを見極めるテクニック「思考を思いっきり反対に振って、真逆の主張の理由を考える」で学んだ、

「逆に◯◯。というのは△△だから」

というやり方は、相手のクレイムの裏を突くための方程式である。

今回のやり取りで考えてみよう。

Bさんが Aさんに対して、

「Aさんが言っているようにクロージングの技術を強くすると、逆にそのお客様は（納得せずにその場では承諾したから）クーリングオフ制度を利用して、結果的には成約に結びつかないものだ」

とか、

「クロージングを強くしたところで、逆に（強引に契約をさせられた感が残っていて）お客様からのご紹介は当然のようにもらえず、長期的に見た損得はかなりマイナスになるだろう」

とか、とどめは、

「営業にはクロージングというセールスプロセス自体、不要である」

といった議論展開ができるのが、ターンアラウンドである。

ここまで見てもらったように、営業成績が上がらないのはクロージングが未熟だからというAさんのシナリオに対して、Bさんは以下の3パターンの反論を仕掛けられる。

▲

1　部分反論

「クロージング以外にも営業成績が上がらない原因はある」

2　完全反論

「営業成績とクロージング技術は完全に無関係である」

3　ターンアラウンド

「営業成績向上に、クロージングはむしろ逆効果となり、全くもって不要である」

相手のクレイムに対し、これら３つのフェイズ（段階）で反論を仕掛けることで、より本質に近づき、生産性は格段にアップするのである。

▲

詭弁を見破るために３つの大きな詭弁を知る

相手が言ってきたクレイム（反論）が常に正しいとは限らないことは、本書を通じて理解されていると思う。

そこで、とっておきの武器をあなたに授けよう。クレイムが成立しているか否かを見極める、その武器とは「詭弁《きべん》を見破る」テクニックである。

詭弁とは、一見正しそうに見えるが、実は成り立たない主張のことである。自己主張したり、相手を困惑させたり、人をおもしろがらせたりするのに用いられる。

ＳＮＳ全盛の現代、個人からさまざまな情報を発信できる時代では、情報のチェック機能はほとんどなく、そのままダダ洩《も》れとなる。だから、多くの詭弁が世の中を跋《ばっ》扈《こ》する。

▲

たとえば、

「成功するビジネスパーソンは、皆太っ腹だ」

という前提から、

「あの人は太っ腹だから、ビジネスパーソンとしてきっと成功するよ」

とクレイムしたら、それはまさに詭弁である。

というのも、「すべてのＡはＢである」と言えても、必ずしも「どのＢもＡである」とは、論理上のルールから言えないからだ。

このように論理の公式に当てはめることで、相手の反論を吟味してほしい。相手が

▲

詭弁を弄《ろう》してきた場合、あなたはそれを見破り、それに沿って反論する必要がある。

ここで覚えてほしいのは、人間という生き物が犯してしまいがちな間違った詭弁のパターンが存在することだ。

どんな人でも、そのようなクレイムをしてきたことがあるはずである。その失敗を重ねないためにも、12のパターンを説明する。

12のパターンは、３グループに大別できる。

Aグループ（1～3）：論理的誤りのパターン
Bグループ（4～6）：人格とクレイムを切り離していないパターン
Cグループ（7～12）：しっかり相手のクレイムを受け止めていないと、相手にやり込められてしまうパターン

【Aグループ：論理的誤りのパターン】

▽詭弁1　性急な一般化

これは自分に都合の良い、数少ない例を抽出して結論を導き出すことである。

▲

たとえば、自分が知っている○○県出身の人の性格がたまたま悪かったからといって、「○○県出身のすべての人の性格が悪い」と短絡的に結論付けることはできない。

この場合、トゥールミンモデルを用いて反論するなら、まずはデータの質を問うことだ。その人の性格のどんなところが悪く、その悪いところと出身地との間に文化的な因果関係があるデータが存在するか、を検証してみるといい。

また、クオリファイアーに着目して、どのくらいの確率で○○県出身の人の性格が悪いかを検証するべきである。

データの質やクオリファイアーの観点からみれば、それが〝性急な一般化〟であることは明白である。

〝性急な一般化〟という詭弁が、世の中に跋扈していることを、あなたは忘れてはならないし、見逃してはならない。

他の例で言えば、たまたま○○地区に行って大きな契約を取ってきたとする。そこで、○○地区は営業先として良好の場所である、と言えるのだろうか。

この1件だけでは、たまたま感が強い。あまりにサンプルが少なすぎる。このように、「一を見て十を知る」的なことがあってはならない。

これはビジネス上の会議でもよく起こりうる間違いである。しっかりと精査してほしい。

▲

▽詭弁2　因果関係の誤り

「ある出来事に続いて別の出来事が起こったので、2つの出来事の間には因果関係がある」とする論法である。

「朝、カツ丼を食べたところ、宝くじが当たった。このカツ丼が幸運をもたらしたのだ」というクレイム&データがあったとする。

まさしく、げんを担ぐ的な論法で、2つの出来事は偶然時期が重なっただけかもしれず、なんの証明にもなっていない。

この場合、トゥールミンモデルに基づいて吟味をするなら、どうすればいいのか。

やはりデータの質もさることながら、量、つまり、カツ丼を食べた後に買った宝くじが的中している例を数多く、サンプルとして出す必要がある。

また、厳密に言えば、なんでカツ丼が宝くじ的中と因果関係があるかを示す必要がある。ここまで書いてわかってもらえると思うが、その因果関係を示すのは困難である。

▲

だから、因果関係の誤りなのだ。

▽詭弁3　無知に基づくクレイム

無知だから相手のクレイムを誤りとする、あるいは、途方もない考えを提示しておいて、誰もそのクレイムを論破できないので、この考えは正しいとする論法もある。たとえば、「危篤になって、その後生還した人が三途《さんず》の川を渡りかけたと言っていた。だから、あの世は存在する」というクレイムである。

このようなスピリチュアルな議論、クレイムも数多く存在することを、あなたも知っていることだろう。

このようなクレイムに対処していくためには、その道のエキスパート（専門家）の講演を聞いたり、書籍を調べたりすることで、自分の知見だけではない、広い視野に立った判断材料が必要である。

データの質を問うこと。この場合で言えば、スピリチュアルな人の意見をもちろん聞きながらも、ドクターの見解（脳死状態になった場合の、精神状態の観点など）を突き合わせる必要がある。どちらか一方ではいけない。

▲

【Bグループ：人格とクレイムを切り離していないパターン】

▽詭弁４　人格（経験）攻撃

相手のクレイムの代わりに、相手の人格（経験）を攻撃する詭弁がある。アメリカ大統領選挙での、ネガティブキャンペーンを思い出してもらえばわかりやすい。

残念ながら、感情の生き物である人間には効果があることは事実である。

たとえば、上司が新入社員の部下に対してこう言ったとする。

「経験もないくせに、能書きばかり並べるな」（昭和生まれの人はほとんどの人が経験したのでは。今の時代パワハラとなるが、わかりやすい例として挙げる）

新入社員に経験がないのは当然のことであり、これ以上議論が発展しない。

ちなみに、この議論の核心にあるのは、「若者と中年以上の人たちとの世代間格差が存在する」ということ。これこそ人間が犯してしまいがちな、間違いなく人間の歴史が始まったときから存在するバトルであろう。

「ちょっとのことで怖がったり、萎縮《いしゅく》するから、お客さんになめられるんだ」と叱《しか》るのも、人格攻撃に当たる。

▲

トゥールミンモデルの観点からみて、相手のクレイムを攻撃したいのであれば、相手そのものの人格や経験ではなく、そのクレイムの「どこが、なぜ間違っているのか?」という点を示す必要がある。

ディベートには、「人格と議論を切り離せ」という有名なルールがある。そこに付け加えて「感情と議論を切り離せ」という鉄則があり、人格攻撃への最大の戒めになっている。この後の5、6の詭弁も4の詭弁のバリエーションである。

▽詭弁5　人気者にあやかるクレイム

提示された政策の利点ではなく、発言者の個人的な人気にあやかって、聴衆に政策の採択を訴えることである。

このようなポピュリズム(一般大衆の考え方・感情・要求を代弁しているという政治上の主張・運動)のようなことは政治の世界はもちろんのこと、身近なところでも多く存在する。

「あの有名人が使っているから、このサプリメントは健康に良い」

現代は、このような広告があふれまくっている。それが悪いなどと言うつもりはない。

▲

そこをわかってクレイムの中身をよく吟味する必要があるということだ。

これも、4に挙げた「人格と議論を切り離せ」というルールの派生バージョンである。

▽詭弁6　憎悪・感情への訴え

論理ではなく、聴衆の憎悪や感情に訴えかけるクレイムがある。

たとえば、ヨーロッパの国々で、高い失業率などの経済的問題の原因をすべて外国人労働者に転嫁しようとする議論はこれに該当する。

このような手法に対しては、事実と感情を切り離して考えなければならない。このような訴えに扇動されてはならない。それは、世界の歴史が教えてくれている。

【Cグループ：しっかり相手のクレイムを受け止めていないと、相手にやり込められてしまうパターン】

▽詭弁7　自分都合

相手の言っていることを自分に都合良く解釈したり、自分にとって都合の良い例を取り上げてクレイムすることである。

▲

たとえば、相手が、

「このプランは70％の確率で成功する」

と言ったことに対して、

「このプランは、ほとんど失敗はない」

と解釈することである。

クオリファイアーの部分で説明したが、強さの度合いとして、〝70％〟と、〝ほとんど〟では、イコールとは言えない。

また、

「このプランは、総支払額は少ないが、その代わり月々の出費は多くなる」

という事実に対し、デメリットを言わず、

「このプランは、トータルで絶対的にお安くなります」

とメリットしか強調しないことも詭弁だ。

片方だけを見てはならず、両面・多面的にクレイムを検証することの重要性を教えてくれる詭弁の例である。

▲

▽詭弁8　しっぺ返し（責任転嫁の切り返し）

自分のクレイムが攻撃されたとき、クレイムを再構築するのではなく、相手に同じことを言い返すようなやり方もある。

十分な裏付けがないと非難されたときに、「なんの根拠があって裏付け不足と言えるのか」と、立証責任を転嫁するような場合である。

議論がうまいと思い込んでいる人や、押しの強さで有名な人ほど、このような切り返しをしてくるものである。動揺せずに、

「私に立証責任を負わせる前に、あなたが言い始めたことなのですから、あなたに立証する責任があります。私に責任転嫁しないでください」

と、毅然《きぜん》と対応してほしい。

トゥールミンモデルが成立していない議論なのだから、なんら恐れることはないのだ。

▽詭弁9　詐欺師の言葉（二枚舌）

そのままでは相手が受け入れがたい考えを、聞こえの良い言葉に置き換えてしまう詭弁がある。たとえば、

▲

「国民の血税を使って、私企業を救済する」

と言えば国民の支持を得られないので、

「公的資金投入」

と言い換えるような詭弁だ。

私も以前、ある人から「あなたにとってメリットのある話を持ってきました。ぜひ、聞いてもらいたい」とビジネス上の申し出があった。

話を聞けば聞くほど、私の人脈にアプローチしたいから、自分にとって得な提案だけをしていたことを思い出す。

「あなたにとってメリットのある話」という前振りをつけることで、こちらもまんまと術中にはまってしまった。ある意味「やられた」と感心した事例であった。

この場合、相手が言ってきた、コンパクトに言い換えられた言葉自体を、具体と抽象のスイング思考をすることで、再翻訳《さいほんやく》することを実践してほしい。

▽詭弁10　論点の回避

説明すべき点をすでに証明されたと仮定して、議論を展開する詭弁である。わかりやすく言うと、論点を避けてお茶を濁《にご》すことである。

たとえば、

「なぜ、ゴルフのスクール生のスコアがアップしないのか」

と追及されて、

「コーチである私の不徳の致すところです」

と抽象的でわかりづらい回答をすることである。

この場合、このスクール生のスコア成績を問題にしているわけだから、「スクール生自身のゴルフへの取り組み方」「時間のかけ方」「効果的なレッスンをこなしているのか」「現状のスクール生の理解度」などが論点であり、それに沿って説明すべきである。

とは言え、現実問題、さまざまなシチュエーションで「不徳の致すところ」は連呼されている。

▽詭弁11　証拠不十分の虚偽

証拠不十分の虚偽とは、話がその前提や拠り所とするデータ（資料）と噛《か》み合わないことを言う。たとえば、

▲

「ある国の高速鉄道が脱線事故を起こした。だから、日本でも新幹線を走らせるべきではない」

と言っても、なんの解決にもならない。類推にも値しない。

ある国での事故原因を究明すること、また、同様の事故が日本で、それも新幹線で起こる可能性を示すことができなければ、虚偽の詭弁となる。

▽詭弁12　偽りの二律背反

両極端な2つの選択肢だけを示して、別の選択肢の可能性を排除してしまう詭弁である。

「AとBのどちらがよろしいですか」という質問には、その他の可能性を排除してしまう作意があるということだ。

ここで重要なのは、「果たして、AかB以外の選択肢は隠されていないか、存在しないか」ということを考えることだ。二者択一の質問は極めて明快に見えるものである。

しかし、作意を相手に感じ取られてしまうと、相手との信頼関係が損なわれる危険性がある論法なのだと注意すべきである。

▲

この３グループの詭弁パターンを、トゥールミンモデルに沿わせながら、よりよく理解し、伊東四朗さんのように暗記するぐらい覚えてみる。そうすれば、相手から自分の身を守れる。受け身は最大の攻撃である。

これら詭弁を回避すれば、あなたのクレイムはより正々堂々、強固なものになることは間違いない。詭弁は、直接の会話であったり、文章、映像、音声の情報であったり、さまざまな形であなたに向かってくる。

最適解をつくるうえで、詭弁に惑わされていてはいけない。もちろん、プレゼンなどの場面で、詭弁に翻弄《ほんろう》されてもいけない。

メリットがあり、論理的な最適解を見つけるためにも、この詭弁を見定める力を育ててほしい。

言葉はその人そのもの。あなたが発する言葉は、あなたという人間そのものなのである。だからこそ、あなたはこのような詭弁を弄《ろう》してはならない。自分で自分を貶《おとし》めるようなことは絶対にあってはならない、と肝に銘じてほしい。

column《コラム》 【論理に感情を乗せる伝え方❻3つのポイントを押さえよう】

最後に鏡を見ながら、次の3点に注意して、トレーニングをしてもらいたい。

◆1 話している内容をそのまま手で表現する

「全部で3点あります」などとナンバリングする際に、3本、指を出してもらいたい。この際、できれば手のひら側を見せるようにするとよい。普段は隠れている手のひらを相手に見せることで、「この人は、オープンマインドで、心を開いて接してくれているのだな」と相手は感じ取ってくれるものである。

「市場規模が年々拡大しています」という場合には、両手を広げて伸び伸びと、大きく、ゆっくり動かすことで、その市場規模のボリュームを表現してほしい。

「急激に拡大した」と表現する場合は、伸び伸び、大きく、早く動かしてみる。

「前年と比べ、売上が2倍になりました」という場合は、たとえば、胸辺りにポジショニングした手を、頭の上まで垂直に上げることで、ジャンプアップした状況を表現してもらいたい。

また、業績アップに関する手の表現方法に、グラフのような右肩上がりを示す方法もある。これは、下から斜め上に手を動かす方法。

いわば、手のひらを下に向けたまま、下から上に斜めにチョップする感じである。この際の留意点は、相手から見て右肩上がりにすることである。自分から見た右肩上がりをそのままにしてしまっては、相手は困惑するだろう。

私などは、ここがうまくできている話し手を見ると、「さすが、場数を踏んでいるのだろうな。なかなかしっかりしている」と信頼のバロメーターが上がる。

「これからはムダをなくし、コストカットに心がけましょう」という場合には、感覚としては争っている人たちを諫《いさ》めるときにする「まぁまぁ」というジェスチャー、すなわち両手を胸辺りにポジショニングして、両手を下に向け、かるく何かを下に押さえるような表現をしてもらいたい。

◆２　不用意な手の動きをしない

よく見かける、悪い手の動きがある。「頭や顔に手を添え、ポリポリかく」「ボールペンをカチカチする」「ペンや指輪をクルクル回す」「ポケットに手を入れる」「ズボンをずり上げる」「立って話すときに、手を前で組んでしまい、手で表現できない状態をつくってしまう」

これらの手の動きは、相手によっては気になってしまうものである。自信があるように見えるというより、頼りなかったり、落ち着かない印象を与えかねない。

ただ、これら悪い手の動きを防止する方法はある。それが先に紹介した、前提としての原則で書いた、シンメトリーの原則である。

会議などで、机やテーブルの上に肘《ひじ》をつき、すべての指の先端をつけて、アーチを形作っていただきたい。

ポイントは、軽い曲線をつくるイメージである。そのアーチの左右対称性と緩やかさが、相手に柔らかみと落ち着きを与える。この手の形を起点に、その後もさまざまなジェスチャーを展開してもらいたい。

両方の指を先端につけずに、指を交互に組むことで軽いアーチをつくる方法もある。どちらにするかは、あなたの好みのやり方で構わない。

また、立っているときは、体のみぞおち辺りで、軽いアーチを組んでみるとよい。

その際、体から拳ひとつ分、両手を離してみるくらいが余裕を持った姿勢である。

これらが、セットポジションとなり、その後のあなたの話とジェスチャーが紡《つむ》ぎ出されてゆくのだ。

◆3　ハンドアップダウン

これは私の造語で、手を上から下に力強く動かすことで、相手にはあなたが情熱的に見えるという動き方である。歴代アメリカ大統領のスピーチは、格好の教材である。

その中でも、２人の大統領が特徴的だ。

大統領在任中に、46歳で凶弾に倒れた第35代大統領ジョン・F・ケネディは、上から下におろす〝ケネディ・チョップ〟を多用した。

第42代大統領ビル・クリントンは、こぶしを下ろす〝クリントン・ハンマー〟をよくしていた。

ハンドアップダウンをすることで、話の内容自体にパワーを注入するイメージで、あなたの熱意を表現することができる。

逆に、「ハンドダウンアップ」という動きがある。これは、両手を下から上に持ち上げるような仕草をすることで、聞いている相手の気持ちをリラックスさせる効果がある。

手のひらを上に向けながら、感覚としては、もっとゆっくり、もっと大きな動きで、相手をフワフワ浮かせるようなイメージでしてみるとよい。ハンドダウンアップは、あなたの温かみを表現できてしまう動きである。

ぜひ、ハンドアップダウン、ハンドダウンアップの動きを、それぞれ鏡の前で、パートナーの前で実践してほしい。

第6章

相手を説得するために、どうしても必要なこと

「あなたが言うなら間違いない」と受け入れてもらうために

▲

アリストテレスの偉大な教え

最後の締めに、あなたに贈りたいメッセージがある。それは、〝人〟そのものについてである。

私は論理競技であるディベートの世界に31年間身を置き、実際に討論したり、後進に指導してきた。そして、今までに論理的思考力にまつわる書物を少なくとも300冊以上読み、少なくとも30以上の論理にまつわるセミナーを今まで受講してきた。おかげ様で、論理についての著書も書いてきた。

そのくらい論理の世界で生きてきた。この論理の世界で、聞かされる、書かれている、教えられている、いわば〝論理語〟は明快でわかりやすい。

本書も、トゥールミンモデルを通して、あなたに〝論理語〟のメカニズムを教えてきた。

だが私は、〝論理語〟だけ学んだところで、果たしてそれを読んだ、受け取った人々が、その後の人生で大きな成果を得られているのか、常に疑問を抱いている。

さらに、余計なお世話かもしれないが、より良き人生に向かって歩いてくれているのかと心配している。

というのも、〝論理語〟を学ぶことは、自己完結で終わりがちであるからだ。人は、ひとりで生きているわけではない。もちろん、自分の中で最適解を見つけ出し、選択すればいいこともあるだろう。

しかし、多くの場合、見つけ出した最適解を他者に伝え、納得させなければならない。多くの問題、悩みには、他者が関わっていることが原因で起きていることが圧倒的に多いからだ。

▲

〝論理語〟を他者に行使したり、それをもとに折衝《せっしょう》したり、意見を通したり、という経験が伴わずに自己完結してはならないのだ。

そうならないために、重要な考え方を説明する。偉大な哲学者アリストテレスは、『弁論術』（戸塚七郎訳／岩波書店）で、説得をするための3要素を挙げている。

- ロゴス（logos、言論・論理）　理屈による説得
- パトス（pathos、感情）　聞き手の感情への訴えかけによる説得
- エートス（ethos、人柄・人間的魅力）　話し手の人柄による説得

アリストテレスも、ロゴス以外のパトス、エートスの要素の重要性を説いている。

あなたにあえて釘を刺すが、本書で学んでもらった〝論理語（ロゴス）〟を単なる、あなたの知的興味が広がるだけの教養範疇《はんちゅう》だけに留めてもらいたくないのだ。

アリストテレスも言っているように、〝論理語（ロゴス）〟のみならず、〝感情（パトス）〟や〝人間的魅力（エートス）〟も同等以上に意識し、学び、実践してほしいのである。

本書で身につけた〝論理語〟のほか、〝感情（パトス）〟や〝人間的魅力（エートス）〟の三位一体で、あなたの説得力や交渉力を充実させ、「最適解」を探し出してほしい。

そして、その「最適解」を積み重ねて、仕事や人生で結果を出す力にしてもらえれば、これ以上著者として嬉しいことはない。

説得力・交渉力を高めるには？

本書での〝論理語〟とは、まさしくトゥールミンモデルそのものである。

これは、説得力・交渉力を身につけるにあたって、基本中の基本であると私は考え、

▲

あなたにここまで詳細に説明してきた。

説得力・交渉力は、以下のような5つの力に分解できると考えている。
①自分の言いたいことを正しく「伝える力」
②相手が言いたいことを正しく「聞く力」
③人に評価される「情熱力」
④相手に信頼される「人間的魅力」
⑤仕事で成果を上げる力（「チーム力」「会議力」といった他者と協同する力）
先に書いたアリストテレスの3つの分類法を入れるとわかりやすいので、説明すると、**①「伝える力」と②「聞く力」は、トゥールミンモデルを学べば、パワーアップすることは間違いない。**この部分は、まさしく〝ロゴス〟そのものである。

改めて確認しておくと、ロゴスとは、論理であり、また明快な（筋道がはっきりしている）話である。

とりわけ「聞く力」に関しては、トゥールミンモデルをはめ込むことで、〝批判的傾聴〟ができるようになる。批判的とは、「本質をあぶり出す」という意味である。
③「情熱力」とは〝パトス〟そのものである。その意味は、人の心理や情熱、感情

ということである。

私が考えるに、情熱力とは、気合だとか、根性論でどうにかなるものではない。心や体全体を使った人に対する伝え方だと考えている。ゆえに、この部分をコラムで紹介してきた。
④「人間的魅力」とは〝エートス〟のことである。人柄、存在感、人間的魅力といった意味である。この最後の章では、ここを詳しく書く。
⑤「仕事で成果を上げる力」に関しては、①「伝える力」と②「聞く力」がベースとなる。また、③「情熱力」で周りを巻き込み、④「あなたの人間的魅力」を最大限駆使して成果を出す必要があるため、①〜④の総合力だと考えてもらうとわかりやすい。そのために、最後の、5つ目の力として紹介した。

一番いい答え
▲
相手にシンクロして 感情を乗り越える

そこで、冒頭にようやく戻る。〝人〟そのものを意識して、トゥールミンモデルを使わないと、切れ味が削《そ》がれるどころか、人を説得するなど、夢のまた夢で終わる。

どんなに〝論理語〟を学んだところで、すべての人を説得することなど不可能である。たとえば、世の中には論理を一切無視する、耳を貸さない人も存在する。あなたの性格や価値観と同じ人もいれば、全く違う人もいる。

どんな人をも説得するのだ、という野望は捨てたほうがいい。

世の中には、多くのタイプがいて、それを測定する性格テストが存在する。たとえば、マイヤーズ・ブリッグス・タイプ・インディケーター（ＭＢＴＩ／Myers-Briggs Type Indicator）という性格テストがある。

このＭＢＴＩでは、人の性格を以下の４つの指標で表す。

- ものの見方（感覚か直観か）
- 判断の仕方（思考か感情か）
- 興味関心の方向（外向的か内向的か）
- 外界の接し方（知覚的態度「行動する」か、判断的態度「まずは頭で考える」か）

そして、これらを組み合わせて16タイプに類型化していく。

この例ひとつとっても、自分とは違う多様なタイプが多く存在することがわかる。

相手を説得するためには、その人の気質や考えや価値観にまでシンクロして、その**相手にあたかもなったような視点で、物事を考える必要がある。**

これは、論理的にも大変難しいことであるが、それ以上に、感情の壁を乗り越えられるのか、つまり、違う人にそこまで寄り添うことができるのか、が大きな壁となる。

だからこそ、「人《にん》を見て法を説く」必要があるのだ。

人を見るために参考になるのが、今は亡き伊藤肇氏が書かれた「孔明の人物鑑定基準」である（『〈新装版〉現代の帝王学』1998年／プレジデント社）。

『三国志』で有名な軍師・諸葛孔明《しょかつこうめい》は、独自の「人物鑑定基準」を持っていた。

1　善悪に関する判断を見ることで、相手の志を把握できる。
2　言葉でやり込めて相手の態度の変化を観察することで、相手の気質を把握することができる。
3　相手に意見を求めることで、どの程度の知識を持っているかを把握できる。
4　相手が困難な状況にいることで、その人の勇気の度合いが把握できる。
5　お酒の飲み方で、相手の本性を知ることができる。

6　商売などで利益の取り方を見ると、相手の清廉潔白の加減を知ることができる。
7　仕事を見ることで、その人への信頼度がわかる。

このような人物鑑定基準を多く学び、あなた独自の人物鑑定眼を日ごろから養い、オリジナルの人物鑑定基準をつくってもらいたい。

それこそが、あなたが〝論理語〟を本当に使いこなせるか否かのリトマス試験紙となるからだ。

▲

人間的魅力を身につけるための一番の近道

「守破離《しゅはり》」という言葉がある。これは、剣道や茶道で修業上の段階を示したものである。全日本剣道連盟の居合道学科試験にも、この「守破離」が出題されたことがある。その模範解答がとても素晴らしいので、ここに引用する。

「守」とは、師に教えられたことを正しく守りつつ修行し、それをしっかりと身につ

▲

けることをいう。

「破」とは、師に教えられしっかり身につけたことを自らの特性に合うように修行し、自らの境地を見つけることをいう。

「離」とは、それらの段階を通過し、何物にもとらわれない境地をいう。

修行をする上で、心・技・気の進むべき各段階を示した教えと言える。

（全日本剣道連盟「居合道学科試験出題模範解答例」月刊剣道日本編集部を参考）


この「守破離」から読み取れることは、師の存在の大きさである。

学問・技芸を教授する人である師は、あなたのあこがれであり、今後の人生の目標になる人のことでもある。

人としての哲学・価値観・立ち居振る舞いを学ぶことができる師というモデルがいる人と、いない人。

この差は、間違いなく、**人生の豊かさ・その人の今後の成長性・その人の雰囲気（オーラ）を含め、数年後・数十年後の単位で、如実に表れてくる**ものだ。

「いや、そんな師と呼ぶに値する人なんていないし、今までの人生で会ったことがない」

という人の声が私には聞こえる。そういう声に対し、私はこう言いたい。それはあなたがそういう素晴らしい人に出会っても、その人を直視することなく、感じようともせず、そういう師がいてもしがみつくこともしなかった。結果、そんな人は存在しなかった。出会えなかったという感覚に陥っているのだと思う。

人生の機会は平等である。人生の出会いの中に、必ず師の候補足りうる人は存在する。仮に直接会ったことがなく、書物でしか知りえない異国の人や歴史上の人物でも、あなたが何かを感じ取りたい、学びたいと思ったら、その人こそ師である。

師から「守破離」のステップを踏んで、羽ばたいてもらいたい。このステップこそあなたが人間的魅力を身につけるための、遠いようで、一番の近道であるのだ。

あなたには「相手の情動に訴える」力がある

世の中は、社会は、ある意味不条理である。すべてが理屈通りに進まないことをもどかしいと思っている人も多いと思う。

▲

歴史的経緯や人間関係のしがらみ、そして政治上何もできない状況など、正論や論理だけでは、世の中はすぐには変わらないのが実情だ。

それは、世の中においては、「何を言ったか」が重要ではないということだ。重要なのは「誰が言ったか」で物事が判断されるということだ。

その誰とは、権力者だったり、お金を持っている人だったり、とにかくなんらかの力を、影響力を含め行使できる人である。

こういうと、「しょせん世の中は、お金や権力がある人でなければ何もできない」と悲観しがちだが、そのような厭世観《えんせいかん》をあなたに植え付けようなどとはしていない。

あなた自身が、「誰が言ったか」の〝誰〟にふさわしい立ち居振る舞いをする。

見合った言葉づかいで話してみる。

そして、人間的魅力があふれるオーラを醸《かも》し出す。

そういう、「あの人が言うのなら、間違いない」「あの人が言うのなら、やってみよう」と思わせるようにロゴス（論理）を磨き、その内容をありったけのパトス（感情や情熱）で表現し伝えていく。

アリストテレスもこう述べている。

▲

「人々の心を動かして考えを変えさせたり、行動を起こさせようとする雄弁家は、パトス、すなわち相手の情動に訴えかけなければならぬ」（『弁論術』1992年／岩波書店）

情動とは、怒り・恐れ・喜び・悲しみなどのように、比較的急速にひき起こされた一時的で急激な感情の動き、のことだ。

ロゴスとパトスの両輪を駆使しながら、一つひとつのさまざまな人生経験を積んでいく。この地道な積み重ねが、あなたの「人間的魅力」を磨いていく。

アリストテレスは、これを〝エートス〟と呼んでいる。エートスが人々に最も影響力を与えるものであると、私は確信している。確信の理由は以下の3点である。

1　人は、その人の目に見えない雰囲気（オーラ）といった、言葉では表現できない何かを常に五感で感じているから。

2　人はあなたの信念や道徳観も含めた人間性を見ているから。

3　人はあなたの生き方、あなたの語り口や雰囲気から感じ取っているから。

「最適解」を手にしながら人に強く訴えかけ、説得や交渉などの何かを伝えなければ

▲

ならない局面で、あなたは人間的魅力という、あなたオリジナルのオーラを身にまとう必要がある。

そうでないと、相手に信頼感や安心感を与えることはできず、伝えることができずに終了してしまうからだ。

人間的魅力がたったひとつでもある人は強い

人間的魅力とは何かは、人それぞれ感じるポイントや基準が違うものだ。それでも、人間的魅力という得体の知れないものを可視化すること、分解することで人間的魅力を理解しようとすることが大切であると私は考えている。

9《ナイン》エートスと名付けた、人間的魅力を考えるにあたっての9つの項目は以下の通りである。

① 知性がある

② 性格が明るい・ユーモアがある・人づき合いが良い

③力強い・真剣さ
④誠実さ・素直さ（英語で言えば、インテグリティ　Integrity）
⑤謙虚さ
⑥色気がある
⑦人生における経験値が高い
⑧自分に与えられた才能を存分に発揮させている
⑨人のために尽くす

各魅力は項目を見ればわかると思うが、⑥・⑧・⑨に関しては重要でもあるので、説明を加える。

⑥色気がある

ドキッとする項目なのだが、その真相はこうだ。

私のビジネスの師は「有能なビジネスパーソンには、男女問わず色気が必ずある」と教えてくれた。

〝色気〟とは「異性の気をひく性的魅力」というわかりやすい意味があるが、その他には「愛敬・おもむき・風情」といった意味もある。

この両方の意味が重要である。というのも、「異性を、人を意識するから、おしゃれをする」という気持ちはとても人間らしく、その人に「風情がある」というのもなんともおつな話だからだ。

とりわけ、ここでは色気の一方の意味である「愛敬」に注目したい。愛敬とは、「人に好かれるような愛想や世辞」を意味する。

人を威圧したような、ぶっきらぼうの極みのような人は世の中に必ず存在している。自分の感情をコントロールできず、その日の気分で接する。周りにとってはたまらない。

私は、だからこそ「色気とは、愛敬である」というクレイムを大いに喧伝《けんでん》したい。愛敬をもっと進化させると、〝和顔愛語〟という究極の形になる。

〝和顔愛語〟とは、「和やかで温和な顔つきや言葉つき。穏やかで、親しみやすい振舞いのこと」である（三省堂・新明解四字熟語辞典より）。

和顔と愛語は一銭もお金がかからず、人間社会において、みんなとの生活自体を明るくする。そのぐらい、とてもパワフルな力だ。

和顔愛語こそ、ギスギスした環境や世の中を変えるべく、小さなしかし大きな一歩になる。

▲

⑧自分に与えられた才能を存分に発揮させている

自分に与えられた才能を知る。多くは自分の好きなことだったり、自然と得意になること。そのような才能があることで、人生の生き甲斐《がい》を得られ、また、人間社会の生活の充実に寄与する。だから、自分の得意技、必殺技を知り、磨かねばならない。その人しか持っていない得意技がある人は、替わりがいない、オンリーワンの存在になる。これこそが、〝余人をもって代えがたい人〟である。

⑨人のために尽くす

我々人間は、ひとりではなく、集団で何かを為《な》していく存在である。それはいわば、社会的存在であるということだ。

自己中心的ではない、他者を意識した動きをせねば、支持も得られず孤立無援の状況に追い込まれる。これが、人間社会の鉄則である。

ひとりじゃ何もできない。ひとりじゃ何をするにしても限界があるのだ。

▲

これら9つのエートスを参考にしながら基準にしてみて、あなたの人間的魅力をあふれんばかりのものにしてもらいたい。

あなたは、今すぐに自分を変えられる知識を手にしたのである。

◇　◇　◇

最後に、この心構えをあなたに伝えて、本書を閉じる。

私のディベート哲学に、「51対49の法則」がある。これは、審判や観客の過半数の支持が得られればディベートの試合は勝利することから、私が考えついた勝負哲学である。

私は以前出演したテレビ番組のディベート対決で、タレントのなぎら健壱《けんいち》さんに48対52で負けた。

しかし、番組のおもしろさがマスメディアに取り上げられたり、そのパフォーマンスのおかげで2つの出版社から執筆依頼がきた。

一介の無名の人間が、テレビでデッドヒートを繰り広げたことで、作家の道を歩むきっかけとなった。

▲

「試合に負け、勝負に勝つ」。

接戦になり、鼻差で負けてしまったとしても、その頑張りを見ていてくれた49％の人たちが、逆に大きなチャンスを与えてくれる。

だから、あなたは、ロゴス・パトス・エートスを遺憾なく発揮させなければならない。最後の最後まであきらめてはならない。

あなたを評価してくれない51人がいたとしても、その裏に49人もあなたを支持する人が待っているのだ。

プロデュース	森下裕士
装丁	西垂水敦・市川さつき（krran）
本文デザイン＋ＤＴＰ	佐藤千恵
校正	広瀬泉
編集	内田克弥（ワニブックス）

一番いい答え

著者　太田龍樹

2021 年 1 月 29 日　初版発行

発行者　横内正昭

発行所　株式会社ワニブックス
〒 150-8482
東京都渋谷区恵比寿 4-4-9　えびす大黒ビル
電話　03-5449-2711（代表）
　　　03-5449-2734（編集部）
ワニブックス HP　http://www.wani.co.jp/
WANI BOOKOUT　http://www.wanibookout.com/
WANIBOOKS　NewsCrunch　https://wanibooks-newscrunch.com/

印刷所　株式会社光邦
製本所　ナショナル製本

ISBN978-4-8470-9987-8